**Quand un auteur sait créer
un univers aussi bouleversant...
Quand il sait créer des
personnages aussi envoûtants...
il mérite
toute votre attention.**

**C'est pourquoi Harlequin
vous offre dès aujourd'hui
de partager et savourer
la nouvelle série Harlequin
ÉDITION SPÉCIALE...
les meilleures histoires d'amour...**

**Des millions de lectrices ont
déjà accueilli avec enthousiasme
ces histoires passionnantes.
Venez découvrir avec elles
la série
ÉDITION SPÉCIALE.**

MARIE NICOLE

Au-delà des promesses

HARLEQUIN

Cet ouvrage a été publié en langue anglaise sous le titre :

THICK AND THIEVES

Publié originellement par
Harlequin Books, Toronto

53, avenue Victor-Hugo, Paris XVIe - Tél. 500.65.00
ISBN 2-280-09087-2

Chapitre 1

— Mon Dieu !

Rien n'aurait pu la préparer à ce spectacle. Ni la télévision, ni les journaux qui n'étaient pourtant pas avares de manchettes concernant la montée du crime dans les grandes cités. Rien !

Elle avait quitté la bibliothèque plus tard que de coutume, tapotant au passage la tête du gros lion de pierre qui ornait le haut de l'escalier. Un jour comme un autre. Enfin, pas exactement. Il y avait eu, l'avant-veille, ce legs de plusieurs caisses de livres, certains plus que centenaires. Un donateur obscur, Siméon A. Montaigne, décédé depuis peu, les avait offerts à la bibliothèque municipale de New York où elle travaillait. Personne n'avait jamais entendu parler de ce bienfaiteur virginien avant l'arrivée des colis.

Si ce nom ne lui disait rien, les livres l'avaient intéressée. Un lien précieux avec le passé. Malgré la poussière qui les recouvrait et les nombreux cadavres d'araignées, Alexandra en avait fait l'inventaire avec enthousiasme. Elle y avait travaillé des heures.

Normalement, cette tâche aurait dû prendre beaucoup moins de temps, mais c'était si agréable de feuilleter ces vieux volumes. Alexandra adorait les livres, surtout les éditions anciennes. Elle se plaisait à imaginer la vie de ceux qui avaient possédé ces œuvres, se demandant souvent s'ils lui ressemblaient.

A vingt-six ans, Alexandra Taylor, si on l'avait interrogée, aurait avoué que sa vie était légèrement fade. Mais les bibliothécaires n'étaient pas exactement de flamboyants aventuriers menant des vies pittoresques. Par définition, ils étaient stables, consciencieux et instruits. Elle possédait ces qualités, ainsi que quelques autres de moindre importance, alliées à un romantisme certain qui lui venait des nombreux romans d'amour dévorés dans sa jeunesse.

Ce qui n'allait plus, mais plus du tout, c'était ce cambriolage. Les bibliothécaires n'étaient jamais victimes des voleurs. Cependant, alors qu'elle luttait avec sa clef pour la retirer de la serrure forcée, elle avait aperçu ce que l'on avait fait de son appartement. Oubliant l'état de la serrure, Alexandra s'était avancée dans le salon, marchant comme on le fait parfois dans les cauchemars, en espérant qu'elle allait se réveiller et que tout serait en ordre de nouveau. Une tornade n'aurait pas commis plus de dégâts !

Non, Alexandra ne s'éveillerait pas d'un mauvais rêve. Ceci était bien réel.

Elle fut brusquement envahie par une multitude de sentiments contradictoires. Quel choc ! Pourquoi? Qui? S'immobilisant au milieu de la pièce, elle en fit le tour du regard, comme si l'endroit lui était soudain devenu étranger. Et si l'intrus était encore là, tapi dans un coin, prèt à lui sauter dessus?...

— Je regarde trop de pièces policières à la télé, murmura-t-elle.

Après avoir hésité un instant, elle parla plus fort.

— Peter, pourquoi n'appelles-tu pas la police?

S'il y avait quelqu'un, il croirait peut-être qu'elle n'était pas seule et s'enfuirait en empruntant l'échelle d'incendie qui passait devant la fenêtre de la chambre à coucher. A condition qu'il se trouve dans la chambre, bien sûr. Mon Dieu, pourquoi n'avait-elle pas accepté le doberman que son père désirait lui offrir? Alexandra avait refusé en arguant qu'une si grosse bête serait malheureuse dans un appartement. Maintenant elle regrettait de ne pas l'avoir écouté.

Autre regret. Ne pas habiter un studio. Ses trois pièces, cuisine, salle de bains, comportaient trop de recoins où un assassin en puissance pouvait se cacher.

Son cœur se mit à battre follement. Pourtant, elle s'avança lentement au milieu du chaos, tout en se répétant qu'elle devait s'enfuir au plus vite et appeler la police. Lorsqu'elle buta sur un coussin, elle eut l'impression que son pauvre cœur n'en supporterait pas plus. Son pouls battait à tout rompre. Elle allait avoir la migraine, c'était sûr. Non, elle l'avait déjà! Se redressant, Alexandra aperçut la batte de base-ball qu'avait laissée son petit neveu lors de la dernière visite de sa sœur. Le gamin avait déclaré qu'il la lui donnait pour qu'elle se défende des voleurs. A Peoria, New York n'avait pas bonne réputation. Et Alexandra était sa tante favorite.

Elle bénit Jimmy et ramassa l'instrument qu'elle brandit comme une arme. Pas un instant elle ne pensa à poser son sac sur un meuble. S'il lui fallait battre en retraite, autant ne pas laisser son portefeuille à l'ennemi ! Ainsi équipée, elle se sentit moins vulnérable.

Si elle avait une once de bon sens, se dit confusément Alexandra, elle quitterait les lieux en courant et en hurlant pour aller se réfugier chez M. Dombrowski. Mais on ne bouleversait pas impunément son foyer. Non, elle affronterait l'adversité !

Alexandra fouilla donc bravement tous les coins sombres, prête à faire un sort au vandale.

Rien !

Son soulagement fut tel qu'elle en vacilla. Mais la colère ne tarda pas à reprendre le dessus. Comment avait-on osé ? Et d'abord, qui était ce on ? La vie ne serait jamais plus pareille, on avait violé son sanctuaire.

Des larmes de rage glissèrent sur ses joues qu'elle essuya d'un geste preste. Les larmes étaient inutiles. La police aussi, d'ailleurs. Même s'ils retrouvaient ce qu'on lui avait volé, les policiers ne pourraient lui rendre son bien le plus précieux, la paix. Dorénavant, la peur serait son lot quotidien. On lui avait dérobé sa quiétude.

— Ignoble individu ! grommela-t-elle.

Insulter le voleur ne servait à rien. Ce qui serait

vraiment utile, se dit-elle en écartant une mèche blonde de son visage, serait de remplacer la serrure. Une bonne grosse serrure inviolable, blindée, dernier cri ! Il ne fallait pas qu'un tel incident se reproduise. Sa soirée était gâchée. Alexandra ne lirait pas le livre qu'elle avait rapporté de la bibliothèque. Ce plaisir devrait attendre.

En se dirigeant vers la porte d'entrée, elle nota que sa télévision portable se trouvait toujours à sa place habituelle. Cela la stupéfia. N'était-ce pas le premier objet qu'un malfaiteur aurait dû prendre ? Et si son voleur n'était pas assez fort pour la porter ? Elle regretta presque de ne pas l'avoir surpris.

Le verrou de sûreté étant forcé, Alexandra se contenta de donner un tour de clef dans la vieille serrure qu'elle n'utilisait jamais. Et si le voleur profitait de son absence pour revenir ? Se souvenant alors d'une série policière qu'elle avait suivie à la télé, elle glissa un petit morceau de papier entre le montant de la porte et le panneau. Si quelqu'un entrait, le papier tomberait et elle serait prévenue bien avant d'entrer.

— Si vous êtes trop têtue pour suivre mes conseils, laissez-moi au moins appeler la police à votre place !

En temps normal, Alexandra aimait bavarder avec M. Dombrowski, le gardien de l'immeuble. Mais ce soir, elle n'était pas d'humeur à le supporter. Elle tenta cependant de dissimuler au mieux son impatience.

— Je n'ai pas dit que je ne leur téléphonerai pas. Il faut d'abord que je vérifie ce qui manque. Après tout, on n'a peut-être rien pris. Pour le moment, la priorité des priorités, c'est d'installer une serrure neuve.

Elle agita sous son nez le sac contenant le verrou qu'elle venait d'acquérir.

— Je n'ai pas besoin de conseils, monsieur Dombrowski, mais de votre perceuse. Je sais que vous en possédez une, même si vous ne vous en servez jamais.

L'homme aimait parler mais détestait agir. A soixante-quatorze ans, c'était compréhensible. Il ne releva pas l'insolence.

— Oui, oui, j'ai une perceuse, bougonna-t-il. Je vais la chercher puis je monterai réparer...

— Non. Donnez-la-moi, je m'en occuperai.

Si elle n'insistait pas, il ne viendrait jamais.

Le vieil homme haussa ses sourcils broussailleux et fit mine d'être vexé.

— Une femme ne sait pas se servir d'une perceuse, protesta-t-il. Vous êtes trop délicate.

Alexandra soupira.

— Monsieur Dombrowski, s'il vous plaît ! Je sais l'utiliser.

Elle devenait nerveuse. Et si le voleur revenait ? Qui pouvait prévoir ce qui se passait dans la tête d'un criminel ? Plus vite elle serait barricadée, mieux elle se sentirait.

— Monsieur Dombrowski, s'il vous plaît ! répéta-t-elle d'un ton suppliant.

— Bon, bon...

Il remonta son pantalon de ses mains sales et s'effaça pour la laisser entrer.

— Venez.

L'appartement du gardien était un capharnaüm indescriptible. Tous les objets qu'il avait ramassés au cours de sa longue vie s'y trouvaient entassés.

— Asseyez-vous, grommela-t-il en lui indiquant un canapé affaissé datant au moins d'avant-guerre.

Il disparut dans sa chambre sous le regard perplexe d'Alexandra. Quel drôle d'endroit pour ranger ses outils !

Pendant son absence, elle essaya de ne pas trop penser à ce qui venait de lui arriver. Une New-Yorkaise n'aurait-elle pas dû être blasée lorsqu'on lui parlait de crime ? Cela appartenait à son quotidien, n'est-ce pas ?

Non, pas au sien !

Alexandra se promit de ne pas en parler à sa mère. S'il l'apprenait, son père prendrait le premier avion et la ramènerait de force à Peoria. Qu'elle ait vingt-six ans, soit diplômée de l'université et vive seule depuis bientôt huit ans n'y changerait rien. Elle était et serait toujours sa petite fille qu'il se devait de protéger. Alexandra sourit. Si elle aimait tant M. Dombrowski, c'était en grande partie parce qu'il ressemblait par certains côtés à son père. Lui aussi avait décidé de la protéger lorsqu'elle s'était installée dans l'immeuble trois ans plus tôt.

En ce moment, d'ailleurs, elle avait besoin de soutien.

Mais était-ce bien sûr ? Au fond, elle était parfaitement capable de se défendre seule, de s'assumer. Ne vivait-elle pas à New York pour cette raison-là ? Pour y faire sa vie hors du doux nid familial ? En fait, elle n'avait réalisé son rêve qu'à demi. Venue pour conquérir Broadway, elle s'était retrouvée, après une année d'efforts futiles, là où son diplôme la destinait : à la bibliothèque municipale.

Ses yeux verts brillèrent soudain de colère. Si elle n'avait pas perdu une heure à écouter les jérémiades de Phoebe Stern, alias Audrey Adams, à qui on venait de refuser un rôle et qui s'en consolait en avalant glaces sur sorbets, Alexandra serait revenue à temps chez elle pour y surprendre son cambrioleur.

— Monsieur Dombrowski ! appela-t-elle en se levant.

— Oui, oui, je cherche ! Je n'ai qu'une paire d'yeux. Ils ne peuvent être partout, quand même !

Alexandra passa dans la chambre. Il y avait là encore plus de désordre que dans le salon. Elle aperçut dans un coin une vieille commode jetée trois semaines plus tôt par une locataire. Le vieil homme ne comprenait pas qu'on se débarrasse ainsi de quelque chose qui tenait encore debout.

— Ah, la voilà ! s'écria-t-il en extrayant la perceuse de dessous un meuble.

— Et les mèches ?

Celle qui se trouvait sur l'outil était beaucoup trop grosse.

— Les quoi ?

— Les mèches. Ces choses qui servent à faire des trous et que l'on place au bout d'une perceuse.

Il la regarda un long moment très sérieusement, un peu comme si elle s'adressait à lui dans une langue inconnue, puis son visage s'éclaira d'un large sourire.

— Elles sont ici ! s'écria-t-il d'un air triomphant en lui tendant un petit sac marron.

Alexandra vérifia que la clef qui permettait de les adapter sur l'instrument se trouvait bien dans le sac.

— Je devrais peut-être m'en occuper, proposa Dombrowski sans grande conviction.

— Mais non. J'ai déjà interrompu votre dîner, je ne voudrais pas abuser.

Il sourit, incertain.

— J'aime la soupe froide, finit-il par déclarer pour avoir le dernier mot.

Le vieil homme adorait Alexandra, mais il aimait encore plus ne rien faire.

Alexandra lui rendit son sourire.

— Je suis parfaitement capable de percer quelques malheureux trous, monsieur Dombrowski. Mon père possède une quincaillerie et je l'ai toujours vu rapporter les dernières nouveautés à la maison pour les essayer. Je sais me servir d'outils dont vous n'avez jamais entendu parler !

Elle appuya cette affirmation d'un clin d'œil pour préserver la fierté du vieillard qui détestait être surpassé par une femme. Pour lui qui possédait encore une mentalité très vieille Europe, femmes et enfants ne faisaient qu'un et devaient se tenir à l'écart du travail des hommes.

Il la laissa partir, grommelant quelques mots en polonais dans sa barbe.

— N'oubliez pas d'appeler la police, cria-t-il pendant qu'Alexandra gravissait les marches quatre à quatre.

— Pour ce qu'ils sont utiles ! Il y a huit millions de vols par semaine en ville.

En arrivant devant sa porte, Alexandra ralentit. Elle lança un coup d'œil soupçonneux à l'huisserie. Tout semblait normal. Mais cela ne voulait pas dire grand-chose. Tout lui avait semblé normal lorsqu'elle était revenue de son travail, et pourtant rien ne l'était.

Retenant son souffle, elle fourragea dans la serrure du bas. Le petit morceau de papier qu'elle avait placé contre le montant tomba sur le sol. Personne n'était venu en son absence. Rassurée, Alexandra laissa échapper un long soupir de soulagement et poussa la porte. Après tout, on ne lui avait peut-être rien volé...

Toujours le même désordre. Les coussins étaient éparpillés dans toute la pièce. Les tiroirs du bureau, entrouverts, avaient été vidés de leur contenu. Quant à ses livres, ses précieux livres, on les avait jetés aux quatre coins du salon.

Alexandra soupira. Deux fois.

— Quel poisse ! s'exclama-t-elle en déposant son sac contre le mur. Je vois d'ici les titres dans la presse : « UNE BIBLIOTHECAIRE BLONDE MEURT D'UN COUP DE SANG DANS SON APPARTEMENT ! ! ! » Et en dessous : « Il semblerait que la malheureuse n'ait pu supporter l'idée d'avoir à y remettre de l'ordre après le passage d'un cambrioleur ! »

Secouant la tête, Alexandra ouvrit le sac que lui avait prêté Dombrowski et en sortit les mèches. Lentement, elle en fit l'inventaire, cherchant celle qui conviendrait au travail qu'elle avait décidé d'entreprendre. Ce faisant, son regard s'arrêta sur le poste de télévision. Elle abandonna les mèches. Il lui fallait de la compagnie, un bruit de voix. Tournant le bouton de l'appareil, elle chercha un programme. C'était l'heure des informations qu'elle ne voulait pas entendre, et encore moins voir. Trop de vols à la une ! Finalement, elle tomba sur un film japonais de série B. une histoire de monstre en papier mâché qui attaquait Tokyo. Plutôt que d'écouter un présentateur parler de la criminalité galopante, Alexandra choisit le monstre.

Le ronronnement des dialogues, rompant le silence, apaisa peu à peu son malaise. Elle se sentit soudain de nouveau capable de réfléchir. Mais ce fut pour s'avouer qu'elle n'y comprenait rien. Le seul butin convenable était justement ce poste de télévision. Alexandra ne possédait pas de bijoux, n'était pas riche ni collectionneuse. Si quelqu'un s'était introduit chez elle dans l'espoir d'y trouver un peu d'argent, il aurait certainement emporté le poste. Mais il n'en avait rien fait et l'écran débordait maintenant de créatures d'un autre monde qui dévoraient tout crus les passagers d'une rame de métro.

Pourquoi ne pas avoir pris ce fichu poste ?

La réponse à cette question lui apparut d'un coup et la paralysa d'effroi. Et s'il s'agissait d'un acte de pur vandalisme ? Machinalement, Alexandra se remit à travailler, seul moyen de conserver son sang-froid. Insérant la clef prévue à cet effet dans l'alvéole se trouvant dans le nez de la perceuse, elle la fit tourner jusqu'à pouvoir retirer la mèche qu'elle désirait remplacer. Celle-ci ôtée, elle plaça une mèche plus petite et tourna dans l'autre sens pour l'immobiliser. Non, elle laissait son imagination vagabonder. Qui la détestait assez pour mettre un tel désordre chez elle ? Elle n'avait pas fait de mal à une mouche depuis son arrivée à New York. Quant à ceux qu'elle fréquentait, ils étaient tout à fait incapables de commettre un acte pareil. Il devait plutôt s'agir d'un jeune voyou en quête d'argent facile. S'apercevant qu'il n'y avait rien à voler qu'un poste de télévision vieux de trois ans, il avait dû passer sa colère sur le mobilier.

— Bandit ! grommela-t-elle en faisant de petites croix à l'aide d'un crayon sur le montant de la porte, là où elle désirait fixer la serrure neuve.

Elle mit la perceuse en marche et l'écran fut immédiatement strié de raies blanches. Pauvres habitants de Tokyo ! Non seulement ils devaient combattre un monstre de papier mâché, mais celui-ci était maintenant aidé par les parasites que produisait la perceuse de Dombrowski. Les cris des victimes furent aussitôt couverts par le crissement de la mèche attaquant le bois.

Au bout de quelques minutes, il sembla à Alexandra qu'un autre bruit s'était joint aux deux précédents. Elle soupira. Ce devait encore être Mme O'Malley. Celle-ci ne perdait pas une occasion de frapper au plafond avec le manche de son balai. C'est à cause d'elle qu'Alexandra avait dû faire poser de la moquette dans le salon. Avec cette vieille folle au-dessous, il était impossible de circuler chaussée dans l'appartement sans soulever un scandale. D'où l'achat de la moquette...

Pourtant, les coups ne venaient pas de l'antre de cette veuve vindicative. Alexandra arrêta la machine et s'aperçut alors qu'ils étaient frappés sur la porte. Elle s'immobilisa, le cœur en travers de la gorge.

Un horrible cri partit derrière elle et elle se retourna d'un bond, au bord de l'évanouissement. Ce n'était que le monstre qui dégustait le chef de train.

On frappa de nouveau à la porte. Alexandra regarda par l'œilleton et distingua une silhouette masculine.

— Que voulez-vous ?

— Madame Taylor ? Madame Alexandra Taylor ?

La voix était agréable, teintée d'un léger accent du sud. L'inconnu savait qui elle était. Elle ne l'avait jamais vu ailleurs, elle ne connaissait personne vivant dans le sud, ou en étant originaire.

— C'est bien moi. Que voulez-vous ?

— Vous voir. Je n'ai pas l'habitude de converser au travers d'une porte.

Etait-il sage de le laisser entrer ? Normalement, Alexandra aurait ouvert sans peur. Mais après ce qui venait de se passer... Derrière elle, une multitude de soldats se jetaient sur le monstre en poussant des cris atroces.

Elle entrebâilla la porte de quelques centimètres, la perceuse posée sur l'avant-bras comme une carabine. Ce fut la première chose que remarqua le visiteur.

— Ne pensez-vous pas que cet engin serait plus utile sur la porte que sur moi ?

Il y avait une touche d'amusement dans sa voix.

— La porte n'a pas essayé de s'introduire chez moi !

— Frapper à la porte n'est pas s'introduire chez les gens, lui fit-il remarquer fort justement.

Regardant par-dessus son épaule, il cessa brusquement de sourire.

— Mon Dieu, où avez-vous déniché ce décorateur ?

— Je me demande si ce n'est pas vous...

Il sembla plus surpris par son accusation que par le désordre qui s'offrait à sa vue.

— Dans ce cas, je serais particulièrement stupide de revenir sur les lieux de mon forfait.

— On dit pourtant que l'assassin revient toujours sur les lieux de son crime. Et puis, je ne vous connais pas.

— Si vous me permettez d'entrer, je vous dirai qui je suis.

— Dans ce cas, c'est moi qui serais particulièrement stupide.

Alexandra repoussa doucement la porte, pointant la perceuse sur la poitrine de l'inconnu.

— Vous le seriez si vous ne me laissiez vous parler. Ce que j'ai à vous dire va changer votre vie.

— J'ai l'impression qu'elle a déjà changé. Je viens de subir mon premier cambriolage.

— Qu'a-t-on pris ? demanda-t-il, soudain anxieux.

— Je ne sais pas.

Son visage bronzé devint brusquement sérieux.

— Si vous avez toujours le livre que vous avez emprunté à la bibliothèque, ils n'ont rien pris.

La perceuse lui échappa des mains.

Chapitre 2

Alexandra retrouva son sang-froid en même temps qu'elle ramassa la perceuse. Se redressant, elle observa l'étranger qui se tenait maintenant au milieu du salon. Très grand, brun, beau indiscutablement, il avait une trentaine d'années. Sa façon de se tenir légèrement en équilibre sur la pointe des pieds lui fit penser à un boxeur s'apprêtant à livrer un combat...

Qui sortirait vainqueur du premier round ?

— Sortez, lui ordonna-t-elle d'un ton calme.

Ce qu'il venait de déclarer avait excité sa curiosité, mais pas au point de lui faire perdre toute prudence.

— Ecoutez, Alexandra... Je veux dire, Miss Taylor...

Alexandra décida de ne pas se laisser prendre à son air avenant. Elle n'avait qu'un désir, remettre de l'ordre dans l'appartement puis se désaltérer d'une tasse de thé parfumée au rhum. Ensuite, elle ferait de son mieux pour oublier ce gâchis.

— S'il vous plaît, partez.

Elle n'aurait jamais dû ouvrir la porte.

Il ne bougea pas.

— J'ai besoin de vous parler, insista-t-il. Ecoutez, si vous n'avez pas confiance, nous pouvons laisser la porte palière ouverte.

Il la désigna d'un signe de tête avant d'ajouter : — A moins que vous ne désiriez pas que vos voisins apprennent à quel point vous négligez votre intérieur.

Et il avait le toupet de sourire ! Alexandra ne répondit pas. Elle se dirigea vers le téléphone et composa un numéro. L'homme, à sa grande surprise, ne fit pas un geste pour l'en empêcher. Quel calme ! Elle n'avait jamais rencontré quelqu'un d'aussi froid. Quant à elle, elle ne s'était jamais sentie aussi bouillante de rage.

— Monsieur Dombrowski ? Il y a un étranger dans mon appartement.

— Ah, enfin ! Est-il beau, au moins ?

Alexandra demeura bouche bée. Etait-ce bien le moment de la harceler ? Quand cesserait-il de lui répéter qu'elle devait se marier ?

— Cela n'a rien à voir ! Je vous avertissais pour le cas où il m'arriverait quelque chose de fâcheux.

Le visiteur lui prit l'appareil des mains.

— Il ne lui arrivera rien, monsieur Dombrowski, dit-il. Vous pouvez même monter et assister à la conversation.

Un bruit, à mi-chemin entre un grincement et un reniflement, accueillit sa proposition. C'était la façon de rire du gardien de l'immeuble.

— Non, je suis trop vieux pour grimper trois étages. Soyez gentil avec elle, c'est une brave fille.

L'inconnu raccrocha sous le regard stupéfait

d'Alexandra. Rassemblant son courage, elle le questionna.

— Qu'a-t-il dit ?

Il la fixa de son regard bleu, un peu comme s'il la jaugeait, ce qui eut pour effet de la rendre encore plus nerveuse.

— Que vous étiez une brave fille, déclara-t-il à la longue.

— C'est tout ?

— Oui. Ensuite, il a raccroché.

Dombrowski avait raccroché ! C'était la meilleure ! Lui qui ne cessait de lui représenter les dangers qu'elle courait en ouvrant sa porte à des inconnus ! Elle n'arrivait à y croire.

— Remarquez, il s'est peut-être endormi. Il doit être très âgé, non ?

Alexandra n'arrivait pas à comprendre la réaction du vieux gardien.

— Il a soixante-quatorze ans mais raconte partout qu'il n'en a que cinquante-neuf.

L'étranger hocha la tête.

— C'est difficile à croire.

Elle le regarda, surprise.

— Pourquoi ? L'avez-vous déjà rencontré ?

— Non, répondit-il en ramassant deux coussins et en les replaçant sur le canapé, mais il a une voix de vieillard. Je suis surpris que vous soyez obligée de demander du secours à un homme de cet âge pour défendre votre honneur.

Se retournant, il la dévisagea longuement.

— Vous n'avez pas un chevalier servant plus jeune ?

— Non !

Mais il s'installait ! Allait-elle devoir appeler la police pour s'en débarrasser ? Elle s'empara de nouveau du téléphone.

Cette fois, il ne lui laissa pas le temps de composer un numéro. Se levant d'un bond, il couvrit sa main de la sienne. Alexandra soutint son regard, furieuse mais morte de peur. Qui était cet homme ? Que lui voulait-il ?

— Pourquoi gaspiller de l'argent en coups de téléphone inutiles ? Je vous assure que ce que j'ai à vous dire est passionnant. De plus, je vous promets de disparaître à tout jamais de votre vie dès la fin de notre conversation.

Il appuya sa promesse d'un clin d'œil.

Si son appartement n'avait pas été visité, Alexandra se serait certainement montrée plus sensible et plus réceptive. Après tout, il était rare qu'un homme aussi séduisant s'introduise dans sa vie. En fait, la gent masculine se réduisait pour elle à quelques étudiants harassés qui ne pensaient qu'à leurs examens, ou à de vieux retraités qui n'avaient rien à faire en dehors de traîner à la bibliothèque. Bien sûr, il y avait Edgar, le bibliothécaire en chef, que l'on pouvait classer entre les deux catégories précédentes et avec qui elle sortait de temps à autre. Mais le pauvre Edgar ne ressemblait en rien à cet homme. Placé devant un mur gris, il serait passé complètement inaperçu.

Alexandra soupira. Ce n'était pas le moment de se plaindre de la venue du bel inconnu. Le matin même, ne s'était-elle pas indignée du manque d'intérêt de sa vie ? Fade son existence ? Oh, que non ! Son appartement était sens dessus dessous et un étranger terriblement attirant insistait pour lui parler. Que demander de plus ? D'en apprendre plus, justement ! Comment savait-il qu'elle avait pris un livre à la bibliothèque ? Pourquoi l'empêchait-il de téléphoner ? Elle eut soudain l'impression d'être prisonnière.

— Bon, soupira-t-elle. Pourquoi ne pas me dire ce qui se passe ? Qui êtes-vous ? Comment savez-vous mon nom ? Pourquoi...

— Une question à la fois, Alexa !

Il la connaissait depuis dix minutes à peine et il l'appelait déjà par son diminutif. Il ne manquait pas d'air !

— Pourquoi ne pas vous asseoir ? lui proposa-t-il.

— J'écoute mieux en travaillant, répondit-elle, hautaine, en ramassant deux livres qu'elle replaça sur les rayons de la bibliothèque.

A sa grande surprise, l'inconnu se mit à l'aider, lui passant les livres pour qu'elle les range.

— Comme il vous plaira. Pour commencer, je m'appelle Derek Montaigne.

Montaigne ? Mais c'était le nom du donateur obscur !

— Et je suis chasseur de trésor.

Alexandra cessa ses rangements, trop stupéfaite pour continuer.

— Un chasseur de trésor ? balbutia-t-elle.

— C'est cela, dit-il en souriant.

Il avait depuis longtemps cessé de s'étonner des réactions des gens lorsqu'il avouait sa profession. Alexandra, toujours pratique, voulut en savoir plus.

— Mais ce n'est pas une occupation qui convienne à un adulte !

— C'est une profession très lucrative lorsque tout va bien. Je suis d'ailleurs ici à cause d'elle.

Alexa prit machinalement les livres qu'il lui tendait, songeuse.

— Il n'y a pas de trésor chez moi.

— N'en soyez pas si certaine.

Son ton l'alarma. Comment croire à une histoire pareille ? Celui qui avait bouleversé son appartement était-il à la recherche d'un objet dont elle ne connaissait pas la valeur ? Alexa plissa légèrement les yeux et observa Derek. Se pouvait-il qu'il soit l'intrus et que, n'ayant pas trouvé ce qu'il cherchait, il tente une autre approche ?

Brusquement, elle se rendit compte à quel point elle était vulnérable, et dut faire un terrible effort pour ne pas dévoiler son angoisse et continuer à remettre les livres en place. La porte palière était toujours ouverte, elle n'en était éloignée que de quelques mètres. En deux ou trois bonds elle pouvait l'atteindre et se sauver. Pourtant, elle n'en fit rien.

Les livres en place, Alexa entreprit de ranger les objets, mais seulement ceux qui se trouvaient près de la porte d'entrée.

— Bon, expliquez-vous. Que peut faire un chasseur de trésor chez moi ?

— Vous avez rapporté un livre de la bibliothèque aujourd'hui.

Comment le savait-il ?

— C'est exact, admit-elle à contrecœur.

— Où est-il ?

— Dites-moi d'abord pourquoi vous désirez le consulter.

Elle se surprit de son propre courage et se demanda même si elle n'était pas devenue totalement inconsciente. Cet homme était beaucoup plus fort qu'elle, ce qui ne l'empêchait pas de le défier.

— J'apprécie votre prudence.

Alexa n'en crut pas un mot.

— Etes-vous d'humeur à entendre une belle histoire ? ajouta-t-il en lui tendant une liasse de papiers qu'il venait de ramasser.

Elle fit semblant de les regarder. A cet instant, s'il lui avait remis une lettre manuscrite de George Washington elle ne s'en serait même pas aperçu. Son cœur battait à tout rompre.

— Je suis d'humeur à recevoir des explications.

— C'est une vieille histoire qui remonte à 1865. L'aventure de cinq hommes qui attaquèrent un train en Virginie, près de Harpers Ferry.

— Et leurs fantômes bouleversent maintenant les appartements ?

Il éclata de rire.

— Pas exactement. Au cours de l'attaque, ils s'emparèrent d'une fortune en or qu'ils destinaient aux états du sud. N'oubliez pas que cela se passait pendant la guerre de Sécession. Quatre des rebelles furent tués en s'échappant. Le trésor, environ cent mille dollars en pièces d'or, fut enterré par le cinquième assaillant lorsqu'il se rendit compte qu'il allait être capturé. C'était le cerveau de l'équipe, celui qui avait rendu le vol possible en se faisant passer pour un détective de la fameuse agence Pinkerton.

Alexa avait l'impression de voir défiler devant ses yeux un vieux film avec John Wayne.

— Il dessina une carte de l'endroit où se trouvait l'or et réussit à la faire passer à sa femme avant d'être pendu. Celle-ci la donna à un sympathisant du sud.

— Comme c'était généreux de sa part ! s'exclama-t-elle, sarcastique.

— Nous autres, gens du sud, nous sommes comme cela.

Ainsi elle ne s'était pas trompée. Derek Montaigne était un sudiste. Ou prétendait l'être...

— Avant que le partisan du sud puisse agir, il fut arrêté. Mais il avait recopié la carte, en utilisant un code, sur le dos de la couverture de quatre des livres de la bibliothèque. Chacun contient un quart de la carte.

— Mais voyons !

Alexandra n'en croyait pas un mot. Elle avait une migraine atroce et ne pensait qu'à une chose : remettre de l'ordre dans l'appartement puis se coucher.

— Tous les détails figurent dans le journal que tenait sa fille. L'homme fut pendu à son tour et sa femme ferma leur maison après la mort de la jeune fille.

Elle lui lança un coup d'œil sceptique.

— Mais c'est un véritable mélodrame ! Il ne manque que quelques sanglots de violon pour que les spectateurs éclatent en pleurs.

— Je reconnais que cette histoire est bizarre,

répondit-il sans se démonter, mais la vie ne l'est-elle pas, bien souvent ?

Pas la mienne, se dit Alexa. Sa vie était principalement marquée par l'ennui, ce qu'elle ne regrettait pas pour l'instant, n'étant pas taillée pour l'aventure.

— Comment avez-vous eu connaissance de tout ceci ?

Il fallait qu'elle le fasse parler, qu'elle devine enfin ce qu'il voulait d'elle.

— Par le plus grand des hasards. En me rendant aux funérailles de ma tante Linda. C'est elle qui m'a élevé. Comme elle n'avait pas de famille, je me suis occupé de ses affaires. Dans le grenier, tout au fond d'une malle, j'ai trouvé le journal et l'un des livres, avec un quart de la carte codée.

Il fit une pause, s'attendant à une nouvelle raillerie, mais la jeune femme resta de marbre, ce qui l'amena à poursuivre.

— En vérifiant la provenance du livre, j'appris que le sympathisant sudiste avait encore un héritier. Je me précipitai... pour assister encore à un enterrement. C'est fou ce qu'on meurt dans cette histoire. Vous ne trouvez pas ? L'exécuteur testamentaire du dernier descendant de mon sudiste venait d'expédier, selon ses vœux, le contenu de sa riche bibliothèque dans six villes différentes. L'homme, avant de mourir, a légué ainsi plus de mille livres anciens.

— Nous en avons reçu cent cinquante, murmura Alexandra.

Elle commençait à croire à ce conte à dormir debout et s'en voulut. Il fallait qu'elle se montre plus prudente. D'habitude, elle parlait peu, se contentant d'observer. C'est en grande partie à cause de cette discrétion qu'elle avait manqué une carrière d'actrice.

Comment Derek avait-il obtenu ces informations ? En usant de son charme ?

— Comment avez-vous découvert tout cela ?

— Je me suis fait passer pour un journaliste et l'exécuteur testamentaire, un nommé Sawyer, s'est fait un plaisir de me renseigner, jusqu'à un certain point.

Alexa l'observa par-dessus un fauteuil Chippendale qui gisait sur le sol comme une vieille tortue retournée.

— Et vous vous faites passer pour qui, maintenant ?

Il l'aida à remettre le fauteuil debout, posant un instant sa main sur la sienne. Ce contact était-il volontaire ?

— Mais je ne prétends rien ! protesta-t-il.

Il écarta les bras, grandiloquent.

— Je suis aussi innocent que l'agneau qui vient de naître !

— Mais comment donc !

A moins de se tromper lourdement sur son compte, il était évident que Derek Montaigne, ou quel que soit son véritable nom, était une sorte de bonimenteur, vivant de ses discours et de son charme. Avec un tel homme, comment connaître la vérité ? Elle le regarda redresser l'autre fauteuil.

— Où faut-il le mettre ?

— Là, près de mon bureau.

Ces fauteuils étaient un cadeau de sa grand-mère.

Jamais Alexandra n'aurait pu se les offrir. Elle passa la main sur le dossier sculpté.

— Votre histoire ne me dit pas pourquoi vous vous trouvez ici, ni comment vous avez su que j'avais pris un livre pour le consulter chez moi.

Il grimaça un sourire triomphant.

— Croyez-vous au don de double vue ? lui demanda-t-il.

— Non, répondit-elle d'un ton ferme. Pas plus qu'aux revenants, aux fées, aux farfadets et autres fariboles !

Il soupira et secoua la tête en un geste de pitié.

— Vous ne savez pas ce que vous manquez. Bon, dans ce cas, il ne me reste plus qu'à m'en tenir à la vérité, aussi peu spectaculaire soit-elle.

Alexandra faillit lui éclater de rire au nez. La vérité ? Savait-il seulement ce que ce mot voulait dire ?

— Je vous écoute.

— J'ai réussi à, disons, emprunter...

— Voler ?

— La liste des bibliothèques bénéficiaires du legs, poursuivit Derek sans se démonter.

Alexa remarqua une lueur rieuse dans ses yeux. Curieusement, elle se détendit. Les voleurs ne possédaient pas d'yeux rieurs, se persuada-t-elle.

Ne fais jamais confiance à un New-yorkais, lui avait recommandé sa mère lorsqu'elle avait quitté Peoria. Sa mère lui avait également affirmé que les carottes donnaient une bonne vue, et Alexandra portait maintenant des verres de contact. Sa mère se trompait peut-être. De toute façon, cet homme n'était pas de New York.

— Le premier nom sur la liste était celui de la bibliothèque où vous travaillez. Lorsque je m'y suis présenté, cet après-midi, on m'a annoncé que les livres étaient arrivés.

Ainsi ses collègues, qui faisaient des secrets de tout, avaient immédiatement renseigné ce parfait étranger ! « Parfait », c'était bien le mot pour le qualifier. Alexa supposa que les gigolos devaient ressembler à Derek Montaigne, visage sculpé, regard de velours d'un bleu qui savait se faire angélique, longues mains d'artiste...

Elle se sentit soudain terriblement fatiguée.

— Que vous a-t-on encore appris ?

— Elinor m'a envoyé chez vous.

Elinor ! et Alexandra, qui travaillait depuis trois ans à la bibliothèque, l'avait toujours respectueusement appelée Miss Kreps ! Oui, ce Derek était certainement un gigolo, ou en possédait l'âme, en admettant que de tels individus en aient une.

— Vous étiez déjà partie et Julia semblait pressée. Mais elle a eu le temps de m'expliquer que vous vous étiez occupée de l'arrivage et de préciser que vous aviez emporté un des livres chez vous pour tenter de déchiffrer les étranges inscriptions qui figuraient sur la couverture.

Julia parlait trop ! Alexandra l'en avait souvent prévenue. Julia détestait le silence qui régnait dans les salles de lecture, aussi, lorsqu'elle avait l'occasion de converser... Derek n'avait pas dû avoir à beaucoup insister pour obtenir tous les détails qui l'intéressaient.

— Je crois, ajouta-t-il en montrant le désordre de l'appartement, que je suis un peu responsable de tout ceci.

Allait-il enfin avouer qu'il avait forcé la serrure ?

— Quelqu'un m'a certainement entendu pendant que je me renseignais auprès de Julia...

— Mais comment ce quelqu'un a-t-il découvert mon adresse ? Et vous, comment l'avez-vous apprise ?

— Julia me l'a donnée.

— Je vois.

Alexa savait maintenant à qui elle achèterait une muselière pour Noël !

— J'ai foncé chez vous, mais il n'y avait personne.

Parce qu'elle était avec Phoebe, la regardant dévorer !

— Je décidai donc d'aller prendre un café. A mon retour, vous faisiez des trous.

Alexa fixa la serrure neuve qui se trouvait encore sur le sol, près de la porte ouverte. Elle allait devoir l'installer avant de se mettre au lit.

Derek suivit la direction de son regard.

— Si vous le désirez, je peux passer la nuit ici.

Elle le regarda, incrédule.

— Si je le désire ?

— C'est uniquement pour vous protéger, l'assura-t-il.

— J'ai l'impression d'entendre l'histoire du renard qui s'est laissé enfermer dans le poulailler, grommela-t-elle.

Mais la croquerait-il ou se contenterait-il de lui dérober le livre ?

— Je puis vous assurer que je ne pense qu'à votre intérêt. Celui qui a fait ça... Ce n'est pas quelqu'un qui doit renoncer facilement. Il vous faut un garde du corps.

— C'est bien mon avis. Mais pourquoi vous choisirais-je ? Après tout, qui me dit que vous n'êtes pas le vandale ? N'ayant pas trouvé ce que vous cherchiez, vous avez tout simplement changé de méthode. Maintenant, je suppose que vous allez me demander de vous confier le livre.

— Comment avez-vous deviné ? fit-il avec un large sourire.

Alexa nota avec satisfaction qu'il était cependant un peu gêné.

— Je suis navrée, déclara-t-elle d'un ton sec, mais ce livre appartient à la municipalité. Maintenant, si vous voulez bien vous donner la peine de sortir...

Elle refusait d'avoir affaire à lui, même si ce qu'il lui avait raconté était vrai. Soudain, le regard d'Alexa tomba sur un fragment de porcelaine qui gisait à ses pieds.

— Oh, non ! cria-t-elle en s'agenouillant.

— Qu'y a-t-il ?

Il s'agenouilla à son tour.

— Ma poupée de Dresde ! se lamenta-t-elle. La poupée de ma grand-mère.

C'était le dernier cadeau qu'elle avait reçu de son aïeule avant sa mort. Les larmes lui vinrent aux yeux. Comme Derek faisait mine de l'aider à se relever, elle le repoussa durement. Elle ne voulait pas qu'on l'aide, c'était à elle de ramasser les morceaux de la relique brisée.

Il l'observa pendant qu'elle déposait les débris sur son bureau. La poupée était irréparable.

— Je suis désolé, murmura-t-il.

Et il le semblait vraiment. Malheureusement, ce qu'il ajouta gâcha tout.

— Puis-je voir le livre ?

— Non !

Alexa aurait parfaitement pu le lui montrer, mais elle était folle de rage et il fallait bien que quelqu'un paye pour la poupée fracassée.

— Allez-vous-en !

Elle avait peut-être tort, mais son plus cher désir était maintenant de se retrouver seule. Ne sachant encore si elle pouvait le croire ou non, il lui fallait du temps pour réfléchir.

Derek ramassa un bout de papier sur la moquette et prit un stylo dans sa veste. Alexandra le regarda écrire en silence.

— Voilà mon numéro de téléphone. Appelez-moi si vous changez d'avis. J'ai également noté mon adresse.

Le papier à la main, elle le vit partir. Elle ne s'était pas attendue à ce qu'il abandonne aussi facilement. S'animant soudain, elle ferma la porte, ramassa la perceuse et se remit à la tâche.

Une demi-heure plus tard, et malgré les protestations de Mme O'Malley, la serrure fut en place. Triomphante, Alexandra posa ses outils et tourna le loquet. Rien, si ce n'est un bruit de ferraille... Après plusieurs essais tous aussi infructueux, elle dut se rendre à l'évidence, on lui avait vendu une serrure qui ne fonctionnait pas !

Retenant un juron, elle poussa un fauteuil devant la porte et le cala en biais sous la poignée, comme elle l'avait vu faire dans les films policiers. Satisfaite, elle entreprit de ranger l'appartement.

S'il y avait une chose qu'Alexandra détestait pardessus tout, c'était le désordre.

Chapitre 3

Alexandra dormait ordinairement d'un sommeil profond. Enfant, le tonnerre ne la réveillait pas.

Etait-ce la fatigue ? Ou l'énervement causé par le cambriolage ? En tout cas, quelque chose la réveilla.

Elle s'était allongée tout habillée sur le lit, décidée à étudier les chiffres mystérieux qui se trouvaient à l'intérieur de la couverture, et s'était aussitôt assoupie.

Un bruit. Le son que produisait une poignée de porte que l'on tournait. Celui d'un fauteuil que l'on poussait.

Alexa se redressa d'un bond. Quelqu'un essayait de pénétrer pour la seconde fois dans son appartement !

De nouveau, la colère prit le pas sur la peur.

— Oh, le...

Derek, incapable de la persuader par la douceur, avait décidé d'user de la force !

Un long frisson la parcourut. S'il était assez malhonnête pour pénétrer ainsi chez elle, il était plus que possible qu'il n'en veuille pas qu'au livre. Elle devait s'enfuir, et vite ! Maintenant ! Sans plus attendre !

Alexa pensa immédiatement à l'escalier d'incendie, une de ces échelles métalliques qui défigurent les façades des immeubles new-yorkais. Mais avant d'avoir atteint la fenêtre elle rebroussa chemin et s'empara du livre qui gisait sur le lit. Puisqu'il se donnait tant de mal pour le lui voler, elle ferait tout pour qu'il ne l'ait pas ! Au passage, elle attrapa son sac et y jeta le volume.

Au moment d'enjamber l'appui de la fenêtre, Alexa hésita pourtant. N'avait-elle pas rêvé ? Maintenant, elle n'entendait plus aucun bruit, si ce n'est celui de son cœur battant la chamade. Mais il y eut de nouveau le grincement des pieds du fauteuil sur le parquet de la petite entrée et elle cessa de se poser des questions. Poussant de toutes ses forces, Alexa parvint à lever la fenêtre à guillotine sans ameuter tout le quartier et se glissa sur la plate-forme de secours.

Dans l'obscurité, elle mit le pied dans le récipient qui servait d'abreuvoir aux pigeons et se tordit la cheville, retenant à grand-peine un petit cri de douleur.

Si elle n'y prenait garde, elle finirait par tomber, ce qui éviterait bien des tracas à Derek. Cette pensée la regonfla. Il n'aurait pas le livre aussi facilement !

Lentement, elle commença à descendre les degrés glissants. Son agilité la surprit. Après tout, cinq minutes plus tôt, elle dormait encore : normalement, elle était plus longue à s'éveiller totalement. C'est fou ce que la terreur pouvait rendre alerte, se dit-elle.

La partie coulissante de l'échelle, celle qui allait du

premier étage au sol et se relevait automatiquement pour éviter les cambriolages, refusa évidemment de fonctionner. Alexandra s'y suspendit de tout son poids, mais rien n'y fit. Si l'intrus se penchait à la fenêtre de sa chambre, il ne manquerait pas de l'apercevoir et la rattraperait en quelques secondes. Encore une fois, il allait falloir agir rapidement. Retenant son souffle, elle descendit le plus bas possible et se laissa aller dans le vide, uniquement retenue par les mains. Elle ferma les yeux, fit une courte prière et lâcha tout.

L'atterrissage fut rude. Alexandra eut l'impression que ses jambes allaient passer au travers de son corps. Ses pauvres chaussures ! Elle avait au moins cassé un talon. Elle courut dans l'allée en boitillant, ne se retournant qu'arrivée dans la rue. Une silhouette se détachait à sa fenêtre... Alexa se fondit dans l'ombre et tenta de discerner le visage du malandrin, sans grand succès. Il lui sembla pourtant que le visiteur nocturne était petit et mince. Et si ce n'était pas Derek ? Il mesurait près d'un mètre quatre-vingt-dix... Après tout, il aurait parfaitement pu lui arracher le livre lors de sa visite et il ne l'avait pas fait. Lui aurait-il dit la vérité ?...

Il y avait un moyen très simple de vérifier qu'il n'était pas celui qui se tenait toujours à la fenêtre et scrutait l'allée. Lui téléphoner. Son hôtel se trouvait à l'autre bout de la ville, et comme M. Montaigne ne possédait certainement pas le don d'ubiquité...

Alexa se précipita dans un bar ouvert toute la nuit, deux pâtés de maisons plus bas dans la rue. Elle composa le numéro que Derek lui avait donné.

— Allô ?

La voix de Derek, passablement ensommeillée.

— Monsieur Montaigne ?

— Oui. Qui est à l'appareil ?

Alexandra raccrocha.

Derek était dans sa chambre, à des kilomètres de là. Celui qui s'était introduit chez elle n'était pas Derek Montaigne.

Une panique insensée l'envahit brusquement. Elle se dirigea à pas lents vers la sortie sous le regard ébahi des deux ou trois clients. On eût dit qu'elle était dans un état second.

Et elle l'était.

Dehors, elle respira plusieurs fois profondément. Où aller ? Impossible de rentrer chez elle, c'était trop dangereux. Alexa n'était même pas sûre que donner le livre à l'inconnu lui sauverait la vie.

Derek avait parlé d'un trésor. On se faisait attaquer dans la rue pour quelques dollars, et le montant qu'avait cité Derek avait de quoi tenter un saint.

Il n'y avait qu'une chose à faire.

Alexandra commença à descendre la Troisième Avenue, à la recherche d'un taxi. Soudain, son cœur se mit à battre plus fort. On marchait derrière elle. Et cette fois, pas de batte de base-ball pour assommer un éventuel assaillant... Elle ferma les yeux et imagina la une des journaux : « UNE BIBLIOTHECAIRE IMPRUDENTE ASSASSINEE DANS LA TROISIEME AVENUE AU PETIT MATIN ! ».

Eh bien, elle ne se laisserait pas faire ! Assez fui, l'heure était à l'offensive.

Pivotant brusquement, Alexa rebroussa chemin, et

se trouva nez à nez avec une péripatéticienne qui arpentait le trottoir d'un air las. La fille lui lança un regard moqueur.

— Tu te feras pas un sou, attifée comme tu es, lui lança-t-elle avant de s'éloigner en roulant des hanches.

Alexandra fut si soulagée qu'elle faillit lui courir après pour l'embrasser. L'arrivée d'un taxi lui fit changer d'avis et elle se précipita au milieu de la chaussée en agitant les bras.

— N'est-il pas un peu tard pour se promener seule dans les rues ? lui fit observer le chauffeur pendant qu'elle montait dans le véhicule.

— Et vous ne connaissez pas la moitié de ce qui m'est arrivé ! soupira Alexa en se laissant tomber sur la banquette.

— Alexa ?

Derek, les yeux embrumés par le sommeil, contempla la jeune femme qui se tenait dans le couloir de l'hôtel. Il venait juste de se rendormir, après avoir reçu un coup de téléphone stupide, une blague, sans doute, ou une erreur, lorsqu'on avait frappé à la porte de sa chambre.

— Que faites-vous ici ?

Sans attendre sa réponse, il la poussa dans la chambre et referma la porte.

— Mon Dieu, comme vous avez mauvaise mine !

Alexandra s'avança dans la suite élégante et soupira. Les chasseurs de trésor semblaient mener grand train, ne put-elle s'empêcher de penser. Cet homme ne risquait-il pas d'être encore plus dangereux que l'inconnu qui venait de s'introduire chez elle ? Mais où se réfugier ?

— Désirez-vous boire quelque chose ?

Elle secoua négativement la tête, puis elle remarqua qu'il était torse nu et se troubla, détournant les yeux. Encore heureux qu'il porte un pantalon de pyjama !...

— Quelqu'un a forcé ma porte, lui annonça-t-elle.

Il la regarda, stupéfait. Pourquoi avait-elle traversé toute la ville pour lui annoncer une chose qu'il savait déjà ?

— Mais je suis au courant !

— Une seconde fois, précisa-t-elle.

Là, il fut réellement surpris. En un instant, il oublia sa nuit gâchée.

— Quand ?

— A l'instant. Enfin, il y a une demi-heure.

— Ce type a de la suite dans les idées, grommela-t-il.

— Je ne sais plus que penser.

— A-t-il pris le livre ?

Son inquiétude au sujet du livre l'ennuya. Elle aurait préféré qu'il lui demande d'abord si l'inconnu ne l'avait pas frappée, par exemple. Quelque chose de plus personnel. Après tout, Alexandra était un être humain autrement plus précieux qu'un vieux bouquin à la couverture griffonnée !

— Non, je l'ai toujours.

Elle tapota son sac.

— Il est là.

Il fit un pas en avant, comme pour la soulager de ce lourd fardeau. Alexandra recula d'un pas.

— Oh, non ! Je ne compte le confier à personne.

— Alexa, j'en ai besoin. Il représente le quart de la carte.

— Je ne le sais que trop bien !

Il croisa les bras sur sa poitrine et la fixa. Elle eut l'impression qu'il lisait dans ses pensées. La situation était un peu stupide, certes, mais le déroulement de la soirée ne l'était-il pas plus encore ?

— Si vous ne voulez toujours pas me donner ce livre, pourquoi êtes-vous venue ?

Elle prit son courage à deux mains et se lança.

— S'il existe vraiment un trésor, on doit pouvoir faire beaucoup de bien avec tout cet argent.

— C'est possible, en effet.

Alexandra faillit sourire. Lorsqu'elle parlait de faire le bien, c'était en pensant à autrui, aux nécessiteux. Derek devait probablement penser à lui, et à personne d'autre.

— Je veux participer.

Mon Dieu, je suis folle ! se dit-elle. Toutes ces années de travail obscur pour en arriver là. A trop lire les aventures des autres dans l'atmosphère confinée de la bibliothèque, des envies d'épopées lui étaient montées au cerveau. Pauvre Alexandra qui perdait l'esprit...

Une vague lueur d'amusement passa dans le regard bleu de Derek. Elle en rougit. Il allait la sermonner, lui déclarer qu'elle ne faisait pas le poids, que la chasse au trésor était réservée aux gens de sa race, qu'elle gênerait inévitablement.

— C'est d'accord, dit-il contre toute attente.

— Vous... je... Comment ?

Aurait-elle mal entendu ?

— J'ai dit ; c'est d'accord.

— Vous n'allez pas tenter de me dissuader ?

Il se mit à marcher autour d'elle en l'observant, comme si elle était une sorte d'oiseau rare.

— Pourquoi ? Vous me semblez fort capable.

L'intonation particulière de sa voix la fit frissonner, non d'effroi, mais d'un sentiment beaucoup plus confus, inexplicable.

— Mais il s'agira d'une association purement professionnelle, le prévint-elle.

Il accueillit ces mots avec un sourire.

— Seules les affaires m'intéressent, déclara-t-il de sa voix de velours.

Alexandra le considéra avec incertitude, se demandant s'il était sérieux, ou s'il se moquait d'elle... Quoi qu'il en soit, elle ne se laisserait pas surprendre : elle avait bien l'intention de ne pas lui donner l'occasion de la berner.

— Ainsi, je pourrai vous accompagner ?

Derek vint se placer face à elle et écarta les bras.

— Ai-je le choix ? Vous avez le livre et j'en ai besoin.

Alexandra serra son sac sous son bras. A travers le cuir souple, elle sentit le livre, ce qui la rassura un peu. C'était vrai, elle le tenait.

— Avez-vous pu apercevoir le cambrioleur ?

Elle secoua la tête.

— Je me suis enfuie dès que j'ai entendu que l'on forçait ma porte. Je croyais d'ailleurs que c'était vous.

Cette remarque le fit rire.

— Il va falloir que je redore mon image de marque.

La partie ne serait pas facile. Bien que s'étant réfugiée auprès de lui, Alexa se sentait incapable de se fier à lui. Mais elle non plus n'avait pas le choix. Pas si elle voulait que cette histoire se termine comme elle l'entendait. D'ailleurs, si elle lui donnait le livre et décidait de se retirer, rien ne prouvait que le vandale qui s'était introduit par deux fois chez elle la laisserait en paix pour autant. S'il la croyait au courant de quelque chose, il risquait de s'en prendre à elle la prochaine fois !

— Vous semblez fatiguée, remarqua Derek. Pourquoi ne pas vous allonger sur le lit ?

Elle était trop tendue pour dormir et trop incertaine à propos de Derek Montaigne pour fermer les yeux. Surtout dans son lit !

— Si vous vous inquiétez pour le livre, ajouta-t-il, dormez dessus. Je n'ai encore jamais attaqué une dame qui dormait.

Alexa contempla un instant son torse musclé et le crut. C'est plutôt lui que les dames devaient attaquer !

Elle détourna brusquement les yeux. Tu délires, ma fille, se gourmanda-t-elle. Il était temps qu'elle retrouve son bon sens.

— Je préfère m'asseoir ici, dit-elle en se laissant tomber dans un fauteuil, près de la fenêtre.

— Comme il vous plaira.

— Puis-je ouvrir la croisée ?

Alexa se sentit soudain tout étourdie ; elle avait

grand besoin d'un peu d'air. Les événements des dernières heures commençaient à lui peser.

Avant qu'elle ait le temps de se lever, Derek ouvrit la fenêtre pour elle. La brise tiède de juin envahit la chambre. Alexandra leva la tête pour le remercier. Au même moment, il se pencha sur elle. Son visage n'était qu'à quelques centimètres du sien, terriblement sensuel.

— Vous vous sentez bien ? demanda-t-il, inquiet. Je vous trouve bien pâle.

Elle ouvrit la bouche pour répondre mais fut incapable d'émettre un son. Tout devint brusquement noir.

On passait un linge humide sur son front. Alexandra essaya de l'ôter mais en fut empêchée par une main qui retint son poignet. Ses paupières pesaient des tonnes, et elle dut s'y reprendre à plusieurs fois pour les ouvrir. La première chose qu'elle aperçut fut le visage de Derek.

— Déjà de retour ?

Il était assis sur le bord du lit. Son lit ! Elle était étendue sur le lit d'un parfait inconnu ! Elle tenta de se relever mais le poids de sa tête le lui interdit. D'ailleurs, Derek la tenait à l'épaule, l'immobilisant.

— Restez tranquille, lui ordonna-t-il d'un ton sec.

Où était passée la voix de velours ?

— Que m'est-il arrivé ? balbutia-t-elle.

Elle ne s'était jamais sentie aussi mal.

— Vous vous êtes évanouie.

— Mais c'est ridicule ! Je ne m'évanouis jamais.

Les autres oui, mais pas elle. Sa sœur Bonnie

défaillait pour un oui pour un non lorsqu'elles étaient adolescentes. Un problème de croissance, avait déclaré le docteur. Alexandra, en revanche, ne s'était jamais trouvée mal de sa vie.

Derek hocha la tête, compréhensif.

— D'accord. Disons que vous venez de faire une courte sieste et n'en parlons plus. Vous vous sentez mieux ?

— Non, avoua-t-elle. Mon Dieu, mon livre !

— Il est ici.

Il désigna son sac, posé près d'elle sur le lit.

— J'ai cru comprendre que vous ne désiriez pas vous en éloigner.

Alexa tâta le cuir souple. Sentant les contours de l'ouvrage, elle laissa échapper un soupir de soulagement.

— Si nous devons travailler ensemble, lui fit remarquer Derek, vous devriez apprendre à me faire confiance.

— Mais je me fie à vous, mentit-elle.

— Hum...

Il se redressa et fit le tour du lit.

— Où allez-vous ?

— La confiance est un sentiment hautement périssable. Mais la vôtre bat tous les records, elle a la plus courte espérance de vie que l'on n'ait jamais vue. Je vais commander du jus d'orange. Vous me semblez avoir grand besoin de vitamines C.

— Vous parlez comme ma mère, grommela-t-elle.

Dieu, quelle migraine ! Depuis l'arrivée de ce livre dans sa vie, sa tête avait dû doubler de volume.

— Pour exercer le métier que je fais, il faut être en

pleine forme, dit-il en composant le numéro du garçon d'étage.

Il commanda deux cafés et deux jus d'orange puis se tourna vers Alexa.

— Des œufs ?

Elle fit la grimace. L'idée de manger lui soulevait le cœur.

— Deux œufs brouillés sur toasts, commanda-t-il avant de raccrocher.

— N'écoutez-vous jamais ce qu'on vous dit ? protesta-t-elle.

— Mais j'écoute. Seulement, je fais ensuite ce qui me semble le plus approprié.

— Pour vous ou pour les autres ?

— Oh, j'ai l'esprit large. Il arrive que certaines personnes aient besoin que l'on décide pour elles...

Malgré l'heure tardive, on les servit presque aussitôt. Sous l'œil vigilant de Derek, Alexa mangea de bon cœur finalement. Elle ne prenait presque jamais de petit déjeuner, mais aujourd'hui elle se sentait affamée. Le fait de courir les rues en pleine nuit, sans doute...

Elle observa Derek à la dérobée. Il paraissait très content de lui.

— Désirez-vous vous rafraîchir ? lui proposa-t-il.

Elle en mourait d'envie, mais pas avec lui dans les parages...

— Il y a un verrou dans la salle de bains, précisa-t-il avec humour.

Et en plus, il lisait dans ses pensées ! Le fait de se sentir si transparente l'irrita.

— J'ai l'impression que les serrures ne vous gênent guère !

Il prit un air faussement outragé.

— Vous me flattez. Mais pour l'instant, je n'ai pas le temps ni l'envie de forcer la porte de la salle de bains. Il y a mieux à faire. Auriez-vous oublié le trésor ? Moi pas. Le temps, dit-on, est de l'argent. Nous nous montrerions économes en prenant notre douche ensemble.

— Je préfère me doucher seule ! riposta-t-elle, suffoquée.

Se levant, il s'inclina, moqueur.

— Dépêchez-vous, lui recommanda-t-il.

C'était un conseil bien inutile. Bien que fatiguée comme elle ne l'avait jamais été auparavant, Alexa se refusa le plaisir de paresser sous le jet d'eau bienfaisant. Il ne lui fallut pas cinq minutes pour se déshabiller, se laver et se vêtir de nouveau. Un record !...

Derek en fut lui-même stupéfait.

— L'eau a dû glisser si vite sur vous, que vous n'avez sans doute pas eu besoin de vous sécher.

Alexa comprit qu'il se moquait de son manque de sophistication. Les femmes qui croisaient sa route devaient être de celles qui attendent que les beaux aventuriers ténébreux viennent leur frotter le dos dans la baignoire... Des femmes d'expérience, plus que certainement. Celle d'Alexandra, concernant les hommes, était limitée à quelques rêves un peu fous provoqués par la lecture de romans d'amour. On en trouvait même à la bibliothèque municipale et il lui arrivait encore d'en dévorer un par-ci par-là, une façon comme une autre de lutter contre l'ennui qui la prenait parfois. Après tout, les bibliothécaires avaient aussi le droit de rêver, non ?

— Je n'aime pas perdre mon temps, déclara-t-elle d'un petit ton sec en remettant en place son chignon.

— Parfait ! Moi non plus.

Sur ces mots, il se rendit à son tour dans la salle de bains, laissant Alexandra songeuse. Qu'avait-il voulu dire par là ?

Chapitre 4

La veille encore, Alexa avait gravi cet escalier de pierre, un peu lasse, se demandant si sa vie serait toujours aussi fade. Aujourd'hui, un bel aventurier à ses côtés, un livre couvert de signes étranges dans son sac, son appartement dévasté par elle ne savait qui, elle refaisait le même chemin.

— Vingt-quatre heures, et tout change, murmura-t-elle comme ils atteignaient l'énorme porte à double battants.

— Vous disiez ? demanda Derek en essayant de l'ouvrir.

Elle était fermée. Derek frappa à la partie supérieure qui était vitrée.

— Rien d'intéressant, répondit-elle.

Elle frappa à son tour sur le panneau de verre. Tout allait trop vite. Pourtant, c'était bien elle qui avait décidé de se lancer dans cette aventure. Une course au trésor ! Un frisson la parcourut. Un monde nouveau s'ouvrait soudain devant elle. Elle allait enfin agir, alors que jusqu'ici elle s'était contentée de vivre par procuration les exploits des autres.

Pendant qu'ils attendaient George, le veilleur de nuit, pour qu'il leur ouvre, Alexandra se sentit gagnée par la nervosité. Que lui réservait l'avenir ? Après tout, elle ne savait rien de l'homme qui l'accompagnerait dans cette quête, à part ce qu'il avait bien voulu lui révéler. Mais, encore une fois, elle n'avait pas le choix. Sa vie était en train de changer, sans qu'elle ait son mot à dire, et elle ne reprendrait pas son cours normal avant que cette histoire ne soit éclaircie.

L'expression qu'elle lut sur le visage du veilleur de nuit la ramena brusquement au moment présent. Le pauvre George avait toujours l'air un peu hagard, spécialement au petit matin, mais aujourd'hui il paraissait particulièrement agité.

— Je n'ai rien entendu ! s'écria-t-il en leur ouvrant la porte.

— Rien entendu ?

De quoi parlait-il ?

Mais George ne répondit pas. Il continua à se défendre comme un beau diable, un peu à la manière d'un accusé devant le tribunal. Il se tourna vers Derek, suppliant, ce qui étonna Alexa au plus haut point. Normalement, le brave homme prenait son travail très à cœur et n'admettait pas un étranger dans la place avant l'heure d'ouverture. Mais aujourd'hui, il cherchait surtout une oreille compatissante.

— J'ai fait ma ronde et tout allait bien. Mais quand je suis repassé par là... C'était dans un état !

— Quel état ? s'impatienta Alexandra. George, de quoi parlez-vous ?

— Je vais vous montrer.

Il les précéda dans le corridor.

A la grande surprise de la jeune femme, George les conduisit à la petite pièce mal aérée où, douze heures plus tôt, elle classait encore le nouvel arrivage.

Julia se tenait au milieu de la salle, hochant la tête, les mains sur ses hanches. Son visage marquait un étonnement sans bornes. Elle sursauta en les voyant entrer.

— Oh, c'est vous ! hoqueta-t-elle en apercevant Alexa. C'est vous ! répéta-t-elle en découvrant Derek, d'une voix radoucie.

Julia fit bouffer sa chevelure noisette et prit son air le plus provocant. Elle se cambra parvenant même à mettre en valeur sa poitrine minuscule. Elle en oublia le chaos qui régnait dans la pièce.

Pourtant, le désordre était extraordinaire. Alexa, qui commençait à être familiarisée avec les tornades domestiques, en resta néanmoins bouche bée. Un cyclone n'aurait pas produit plus d'effet. Les cartons contenant le legs Montaigne étaient réduits à l'état de charpie, il y avait des livres partout sur le sol, certains ouverts, d'autres déchirés.

Sa première réaction fut de s'agenouiller et de commencer à les ramasser. Mais elle nota bien vite qu'elle était la seule à travailler. Julia était toujours paralysée par la présence de Derek et George se tenait sur le seuil, comme si en pénétrant dans la pièce, il avait admis sa culpabilité.

— Quand ceci s'est-il produit ? demanda Derek.

— Je viens juste d'arriver, confessa Julia.

Alexa, du coin où elle s'affairait, remarqua le

regard de velours dont Julia caressait Derek pour lui répondre, et elle s'en irrita. Elle eut envie de la rappeler à son devoir : celui de ramasser les livres.

— Je n'ai rien entendu, répéta George pour la centième fois.

Il n'allait pas manquer de rabâcher cela toute la semaine, se dit Alexa.

— J'en suis bien persuadé, répondit Derek, en passant un bras autour des épaules du vieil homme qui se calma.

Quel pouvoir ce diable d'homme possédait-il sur ses semblables pour qu'ils se sentent aussitôt en confiance ? se demanda Alexandra, perplexe.

— Quand avez-vous fait votre dernière ronde, avant de découvrir ce carnage ?

— A trois heures trente.

— Et rien n'avait été dérangé ?

— Rien. J'ai découvert ceci à cinq heures trente. Ah, les vandales !

— Avez-vous prévenu la police ?

Alexandra nota sous le calme apparent de la question un intérêt particulier pour la réponse...

— La police ? Non. J'ai...

Elle fut aussi la seule à noter que Derek laissait échapper un léger soupir de soulagement.

— Il m'a appelée, intervint une voix féminine.

Elinor Krebs se tenait sur le pas de la porte. Ses petits yeux rapprochés jetaient des éclairs ; elle paraissait outrée que l'on ait pu s'attaquer au sanctuaire dont elle avait la charge. Pourtant, reconnaissant l'homme qui questionnait George, elle sourit.

— Derek, quel plaisir de vous revoir !

Elinor pénétra dans la petite pièce comme un paquebot égaré dans un port de pêche. Derek lui prit la main dans un long regard consolateur.

Quel comédien ! Alexandra, toujours agenouillée, en avait oublié les livres qui jonchaient le sol. Cet homme était trop malin, mieux valait renoncer et trouver un autre appartement. Comment se fier à un tel hypocrite ? Et Elinor, ce vieux requin chagrin qui venait lui manger dans la main ! Alexa n'aurait jamais imaginé que ce vieux dragon puisse se montrer un jour si humaine !

— Quelle horrible aventure, murmura Derek galamment. Ces jeunes n'ont aucun respect.

— Des jeunes ?

Alexandra se redressa, abandonnant provisoirement sa cueillette. Elle mourait d'envie de savoir ce que préparait Derek.

— Savez-vous ce que je crois ? déclara-t-il. Il s'agit d'un pari stupide comme en font les étudiants. Vous savez ce que c'est d'être jeune.

— Vous pensez que je ne devrais pas prévenir les autorités ? demanda Elinor, suspendue à ses lèvres.

— Seulement s'il y a eu vol.

Il se tourna brusquement vers Alexa.

— Manque-t-il un livre ?

Elle haussa les épaules.

— Je n'en sais rien. Je n'avais pas terminé mon classement, hier.

— Je crois que nous devrions la laisser achever ce travail, dit-il aux deux autres femmes. A partir de la liste d'envoi, elle sera en mesure de déduire s'il manque un volume ou non. Si rien n'a été pris, inutile d'ennuyer la police. Ce serait les déplacer pour rien.

Tout le monde hocha la tête gravement, sauf Alexa, bien entendu. De véritables moutons de Panurge, ne put-elle s'empêcher de penser.

Elle dissimula un sourire. Il était stupéfiant de voir avec quelle facilité ils avaient tous accepté l'arrivée de Derek comme quelque chose de tout à fait naturel. Personne ne se demandait ce qu'il faisait là, ni pourquoi il était maintenant agenouillé près d'Alexa, l'aidant à ramasser ses livres. Il avait de la classe, certes, mais quel jeu jouait-il ?

— Regardez bien à l'intérieur des couvertures, lui glissa-t-il à mi-voix en se relevant.

Elle le regarda, surprise.

— Où allez-vous ?

— Chut ! fit-il en portant un doigt sur ses lèvres. Ne parlez pas si fort. Auriez-vous oublié que nous nous trouvons dans une bibliothèque ?

Alexandra dut se retenir pour ne pas lui jeter un volume à la tête. Mais si elle avait commis ce sacrilège, le dragon béat l'aurait certainement étranglée ! Elle se remit donc au travail pendant que Derek entraînait George et Elinor, dociles, hors de la pièce.

Qu'avait-il donc en tête, exactement.

— Où l'as-tu trouvé ? demanda Julia, une fois qu'elles furent seules.

Elle ne se donnait même pas la peine de cacher son admiration.

— Oh, je n'ai pas eu beaucoup d'efforts à faire. Il a brusquement fait irruption dans ma vie.

— Tu en as de la chance ! Si une telle aubaine pouvait surgir dans la mienne...

— Chut ! Tu vois bien que je travaille, Julia !

Alexandra venait juste de refermer la couverture du dernier livre lorsque Derek revint. Julia lui offrit immédiatement son plus beau sourire. Pendant l'heure qui venait de s'écouler, elle n'avait pas ramassé plus de dix livres, poussant chaque fois des soupirs à fendre l'âme la plus endurcie. De toute façon, le travail n'avait jamais été la spécialité de Julia. Rêver et bavarder sans fin lui convenaient mieux.

Derek prit Alexandra par le bras et l'entraîna dans un coin.

— Alors ?

Elle secoua la tête, s'efforçant de ne pas trop frissonner au contact de sa main.

— Pas de code, chuchota-t-elle, seulement de la poussière. Où étiez-vous ? Ne me dites pas que vous venez de vous faire élire au conseil d'administration.

Il éclata de rire.

— Non, quand même pas. Je travaillais. Je viens de vous obtenir un congé.

Alexa écarquilla les yeux, franchement admirative. Il fallait au moins une jambe cassée pour qu'Elinor admette une absence !

— Comment avez-vous procédé ? Lui avez-vous proposé le mariage ?

— Je ne suis pas allé jusque-là, rassurez-vous. Je lui ai seulement dit que nous étions cousins et que notre grand-mère vous réclamait depuis son lit de mort.

— Cousins ?

— Evidemment. Si je m'étais présenté comme votre fiancé elle vous aurait haïe.

— C'est exact...

Par expérience, Alexa savait qu'Elinor Krebs pouvait se montrer terriblement jalouse. Mais comment Derek s'en était-il aperçu ? Connaissait-il donc si bien les femmes ?

— Combien de temps m'avez-vous obtenu, cousin ?

— Etant donné les tristes circonstances, le temps qu'il faudra à notre bonne aïeule pour partir dans un monde meilleur. Elinor m'a également promis de revoir votre salaire dès votre retour, à la hausse, bien entendu.

Alexa en resta bouche bée. Derek sourit, avec une telle sensualité que la jeune femme se prit à se demander quel goût auraient ses baisers... Elle se ressaisit aussitôt et jeta un regard en coin vers Julia, qui les observait. Aurait-elle surpris leur conversation ?

— Je dois partir en voyage, lui annonça Alexa.

Devant le regard stupéfait de Julia, elle crut bon d'ajouter :

— Ma grand-mère me demande. Elle est au plus mal.

La stupéfaction de Julia se transforma immédiatement en incrédulité.

— Ne m'avais-tu pas dit qu'elle était morte ?

Derek passa un bras autour des épaules d'Alexandra, très protecteur.

— C'était la mère de son père. Celle qui la réclame est la mère de sa mère.

Julia hocha la tête, convaincue. Si Derek lui avait annoncé que les martiens venaient de débarquer et faisaient la queue pour s'inscrire à la bibliothèque, elle l'aurait cru tout aussi facilement.

— Nous ferions bien d'y aller, murmura Derek en poussant Alexandra vers la porte.

La grande aventure commençait. Il lui fallait abandonner son petit monde familier. La jeune femme sentit son estomac se serrer.

— Un instant !

— Quoi, encore ? s'impatienta-t-il.

— Il faut que j'appelle M. Dombrowski pour lui demander de surveiller mon appartement.

Derek attendit donc qu'elle émerge de la cabine.

— Prête ? lui demanda-t-il lorsqu'elle le rejoignit.

— Prête !

Le livre « emprunté » à la succession Montaigne dans son sac, Alexa traversa le hall de la bibliothèque sous le regard agacé du dragon. Derek lui adressa un grand signe de la main et la sévère Elinor lui rendit en retour un vrai sourire de jeune fille.

— N'avez-vous pas honte ?

— Moi ? Pourquoi ?

— Mentez-vous toujours ainsi ?

— Je ne mens jamais ! Disons que je modifie légèrement la vérité en fonction de mes besoins.

Dans la rue, il faisait une chaleur étouffante.

— Elinor est toute retournée. Ne vous sentez-vous pas un peu coupable ?

Derek la regarda en souriant.

— Quand l'avez-vous vue sourire pour la dernière fois ?

— Le dragon ne sourit jamais.

— Vous voyez bien que je suis gentil avec mon prochain. Maintenant, elle va faire de beaux rêves d'adolescente.

Alexa préféra ne pas répondre. Elle ne savait plus où elle en était. Tout allait trop vite. Et puis elle avait un peu peur... sans trop savoir de quoi.

— Vous êtes trop nerveuse, Alexa. Je suis parfaitement inoffensif.

— Je ne suis pas nerveuse. Je suis...

Qu'était-elle au juste ? Ne pouvoir répondre à cette question la chagrina. Elle releva fièrement la tête pour cacher son trouble, faisant tomber une des épingles qui retenaient son chignon.

— Où allons-nous ?

Il se pencha et ramassa l'épingle.

— Je vous trouve plus jolie sans chignon.

Elle remit la petite pince dans ses cheveux.

— Vos préférences, en ce qui concerne les coiffures féminines, ne m'intéressent pas, monsieur Montaigne. Contentez-vous de me dire où nous allons.

— Au terminus des autocars.

Alexa s'immobilisa sur le trottoir.

— Pourquoi le terminus ?

Le prochain livre se trouvait-il dans une consigne automatique, comme elle l'avait vu dans un film d'espionnage ?

L'explication était beaucoup plus simple.

— Pour prendre un car qui nous mènera à la prochaine bibliothèque sur la liste.

— Et elle se trouve ?

— C'est celle de l'Université de Caroline du Nord.

— Pourquoi ne pas prendre l'avion ? Ce serait plus rapide, non ?

— Plus rapide et plus cher.

— Depuis quand vous inquiétez-vous du prix des choses ?

Ne l'avait-il pas accueillie dans une suite particulièrement élégante, la nuit précédente ?

— L'année a été dure pour les chasseurs de trésor.

— Et votre chambre d'hôtel ?

— Elle ne vous a pas plu ?

Alexandra soupira et leva les bras, excédée.

— Je crois que je vais cesser de vous questionner. Moins j'en saurai, mieux je me porterai. Allons-nous repasser par l'hôtel pour y récupérer vos bagages, dormirons-nous ensuite à la belle étoile, ou...

— Où ?

Alexa le dévisagea soudain.

— Vous n'allez tout de même pas partir sans payer !

Derek ne sembla pas apprécier le ton qu'elle venait de prendre pour l'apostropher.

— Sachez que je paye toujours mes dettes ! répliqua-t-il sèchement. Pas toujours aussi rapidement que certains le souhaiteraient, certes, mais je les paye. La note que je leur abandonne sera honorée un jour.

— Et vos vêtements ?

Et les siens ? Alexandra se rendit brusquement compte qu'elle n'était guère équipée pour voyager. Mais l'idée de retourner dans son appartement à nouveau sens dessous dessous la fit frémir. Même en plein jour elle avait peur de s'y rendre. Pourtant, elle ne pouvait partir à l'aventure dans un tailleur blanc tout froissé.

— Tout s'arrangera, lui dit Derek, philosophe. Tout s'arrange toujours.

Que diraient ses parents et ses amis s'ils l'apercevaient ainsi, accompagnée d'un parfait étranger et sur le point de prendre le car sans même une brosse à dents ?

— Je ne prends pas le car ! déclara-t-elle d'un ton ferme.

Un instant, elle crut que Derek allait lui répondre, mais il se contenta de fouiller ses poches.

— Que cherchez-vous ? lui demanda-t-elle, curieuse.

— Zut ! grommela-t-il.

— Cela ne répond pas à ma question.

Elle le poussa contre un immeuble, lasse de se faire bousculer par les passants.

— J'ai laissé ma carte de crédit à l'hôtel.

— Naturellement, jeta-t-elle en l'observant d'un air suspicieux.

Pourquoi n'arrivait-elle pas à le croire ? Après tout, elle avait bien cru à cette histoire de trésor. Et dans ce cas précis, Derek n'avait aucune raison de lui mentir.

— Il ne nous reste plus qu'à repasser par l'hôtel.

Il fit comme s'il n'avait pas entendu.

— En avez-vous une ?

— Une quoi ?

— Une carte de crédit, bien sûr !

— Evidemment, mais...

— Parfait. Nous utiliserons la vôtre.

Il lui prit la main et se remit à marcher.

— Nous gagnerons du temps.

— Sommes-nous donc si pressés ? s'enquit-elle en courant presque à ses côtés pour rester à sa hauteur.

Il lui jeta un regard qui se voulait patient et qui l'irrita au plus haut point.

— Quelqu'un a forcé votre porte, non ?

— Oui, mais...

— Quelqu'un a mis la bibliothèque à sac, n'est-ce pas ?

Elle comprit ce qu'il entendait par là. Celui qui les pourchassait était pressé. Il fallait se montrer plus rapide que lui. Une course contre la montre et contre un inconnu probablement dangereux. Son cœur se mit à battre très vite.

— Taxi ! hurla-t-elle en se précipitant sur la chaussée.

Une voiture s'arrêta dans un long crissement de freins et Alexandra fit signe à Derek de la suivre.

— Pourquoi un taxi ? A cette heure, nous irons plus vite à pied.

— Nous ne pouvons marcher jusqu'à l'aéroport, répondit-elle en grimpant dans la voiture.

La garniture de plastique du siège était brûlante. Alexa s'installa le plus près possible de la portière, donc le plus loin possible de Derek.

— A LaGuardia, dit-elle au chauffeur.

— L'aéroport ? s'étonna Derek, mais sans trop protester.

— Je n'ai pas envie de souffrir pendant des heures dans un vieux car brinquebalant.

Elle lut dans son regard qu'il se serait fait un plaisir d'alléger ses souffrances et elle rougit. Derek se laissa aller contre le dossier.

— J'ai su que vous étiez celle que je cherchais dès que je vous aie aperçue !

Il faisait si chaud que la jupe de la jeune femme collait au siège. Remarquant qu'il regardait ses jambes, Alexa se démena pour parvenir à la tirer un peu sur ses genoux.

A travers sa confusion due au trouble qu'il éveillait en elle, elle commençait à comprendre pourquoi Derek n'avait pas protesté lorsqu'elle avait proposé de l'accompagner dans sa course au trésor. Il ne possédait probablement pas un sou vaillant.

— Tout ce que je dépenserai sera décompté de votre part, l'informa-t-elle.

Bien qu'elle ait baissé la voix, Alexandra nota que le chauffeur avait levé les yeux vers le rétroviseur, pour mieux les observer...

— Je suis parfaitement d'accord, répondit Derek d'un ton satisfait, en souriant.

L'homme qui avait un jour vendu le pont de Brooklyn à de riches émirs crédules aurait probablement tué pour s'emparer de ce sourire !

Chapitre 5

Tous deux étaient plongés dans leurs pensées, ils ne s'adressèrent presque pas la parole durant tout le trajet vers l'aéroport. Alexa se demandait dans quelle sorte d'aventure elle se lançait. Derek se reprochait de s'être embarrassé d'elle. Le silence se maintint bien après qu'ils eurent acheté leurs billets et se furent embarqués.

Avant le décollage, Alexandra n'y tint plus. Il fallait qu'elle lui explique ses motifs.

— Je ne suis pas intéressée par le trésor, lui lança-t-elle tout d'un coup.

Il resta impassible et elle fut incapable de deviner s'il la croyait ou non.

— Si cet homme n'avait pas saccagé mon appartement, je n'aurais pas bougé d'un pouce. Mais après sa seconde intrusion, je tiens à prendre ma revanche et à le battre sur le fil.

Ce qu'elle n'osa avouer, c'est que pour une fois dans sa vie elle vivrait une expérience excitante.

— Je comprends parfaitement cette réaction.

Il ne me croit pas, se dit-elle, furieuse. Aussi,

qu'avait-elle besoin de lui faire part de ses états d'âme ?

L'avion se plaça en bout de piste. Les moteurs grondèrent. L'appareil se mit à rouler sur la piste, de plus en plus vite. Alexa, qui ne voyageait que rarement, fut gagnée par une appréhension bien normale. De plus, elle venait de s'apercevoir qu'il était maintenant trop tard pour reculer. Elle avait voulu de l'extraordinaire ? Elle allait être servie !.

Derek lui prit la main et sa première réaction fut de la retirer. Mais elle n'en fit rien, se contentant de se tenir bien raide.

D'ailleurs, ce contact l'apaisait. Maintenant, il caressait sa main du bout des doigts. Elle le regarda. Son pouls s'accéléra. Pourtant, Alexandra n'arrivait toujours pas à lui faire confiance et n'aimait pas la situation dans laquelle elle se trouvait : celle-ci ne correspondant nullement à son caractère. A quoi pouvait ressembler un flirt romantique avec cet homme ? Et faire l'amour avec lui ?... Curieusement, elle était persuadée qu'il devait être un amant prodigieux.

Mais à quoi reconnaissait-on un bon amant ? Ce n'était pas avec son manque d'expérience...

— Vous ne voyagez pas souvent en avion, n'est-ce pas ? demanda-t-il gentiment sans cesser de lui tenir la main.

Elle fit un effort pour paraître naturelle.

— C'est parce que je n'aime pas beaucoup cela.

— Il faut parfois du temps pour s'habituer aux choses.

Son regard bleu, magnétique, lui lança un message très clair, trop clair.

— Il y a des choses auxquelles il n'est pas bon de s'habituer, répliqua-t-elle sèchement. Il suffit de les chasser de son esprit.

— Sans doute. Mais la vie serait bien fade sans elles.

Il caressait maintenant la paume de sa main, et Alexa frissonna longuement. Elle ne répondrait pas à ses avances, décida-t-elle, ne se laisserait pas prendre aux boniments de ce beau parleur. N'avait-il pas bouleversé d'un seul regard Elvira et Julia ? Alexandra était maintenant certaine que Derek Montaigne usait uniquement de sa grâce de beau ténébreux pour parvenir à ses fins. Se laisser prendre à son jeu serait catastrophique. Il lui faudrait s'en souvenir à chaque instant.

— Ma vie est passionnante, répondit-elle. Je n'ai nul besoin de l'enjoliver.

— Si vous le dites...

L'appareil ayant enfin décollé, Alexa retira sa main de celle de son compagnon.

— Ecoutez, monsieur Montaigne, puisque nous allons nous trouver réunis un certain nombre de jours, je pense que nous devrions nous mettre d'accord une bonne fois pour toutes.

— Absolument. Et si vous commenciez par m'appeler Derek ?

— Très bien, Derek. Je me suis lancée dans cette aventure uniquement parce que ce... ce...

— Vandale ? lui proposa-t-il.

— Merci. Parce que ce vandale avait brisé la

poupée de Dresde de ma grand-mère. Elle représentait beaucoup pour moi. J'ai horreur que l'on touche à mes affaires. Mais cela ne veut pas dire que je ne prendrai pas la moitié du trésor qui me revient.

— La moitié ?

L'idée semblait amuser prodigieusement Derek.

— Oui, la moitié ! Je possède un des livres et...

— N'appartient-il pas plutôt à la bibliothèque qui vous emploie ?

Il se moquait, bien sûr, mais elle résista à l'envie qui la tenaillait de se mettre en colère.

— Je suis bibliothécaire, donc responsable de tous les ouvrages qui entrent dans mon département.

En fait, Alexandra n'avait absolument pas le droit de prendre un livre sans autorisation, mais elle avait bien l'intention de le rendre lorsque leur aventure prendrait fin. D'ailleurs, n'était-ce pas le meilleur moyen de protéger l'ouvrage ? Après tout, on avait déjà tenté deux fois de le dérober. Cette idée calma ses scrupules. Elle sourit.

— Comme je vous le faisais remarquer, je possède un livre, tout comme vous. Nous sommes donc des associés.

Elle le défia du regard.

— Et si je refuse de vous donner la moitié ?

Alexa détacha sa ceinture.

— Dans ce cas, je rentrerai chez moi !

Chez elle, l'endroit le moins sûr du monde !... Le meilleur moyen de se faire voler le livre qu'elle serrait dans son sac.

Derek éclata de rire et lui prit les mains.

— Me quitter ? Maintenant ? Mais nous volons à

plus de trois mille mètres ! Vous êtes beaucoup trop jolie pour vous imposer une chute pareille.

Il soupira.

— Bon, d'accord. Vous aurez votre moitié. Nous sommes dorénavant associés.

— Mais uniquement pour la durée de cette course au trésor. Ensuite, chacun ira de son côté.

— Mais certainement, acquiesça-t-il d'un ton amusé.

S'il lui était resté un grain de bon sens, Alexandra aurait abandonné pendant qu'il était encore temps. Mais si elle avait eu le moindre bon sens, elle ne se serait pas embarquée dans cette aventure pour commencer. Elle serait encore à New York, à la recherche d'un autre appartement, le doberman de son père sur les talons.

— Il n'y a donc aucune raison pour qu'entre nous…

— Je ne vois vraiment pas de quoi vous voulez parler, Miss Taylor.

Alexandra se rembrunit. Cet homme avait toujours le dernier mot ! Si jusqu'à ce jour, elle avait facilement supporté que l'on se moque gentiment d'elle, maintenant elle haïssait cela.

— Désirez-vous boire quelque chose ? lui demanda une hôtesse.

Elle s'était adressée à Alexa, mais sans quitter Derek des yeux. Celui-ci sourit et refusa d'un petit signe de la tête. Alexandra, en revanche, accepta.

— Un gin-tonic, s'il vous plaît.

La matinée commençait à peine, mais Alexa avait très nettement besoin d'un remontant.

Une fois servie, elle s'installa plus confortablement et questionna Derek.

— Comment votre tante Linda est-elle entrée en possession du livre ?

Elle avala une petite gorgée et faillit tousser. Dieu, que c'était fort !

— Je ne le sais pas avec certitude, répondit Derek en haussant les épaules. La jeune fille qui tenait son journal et mourut avait des frères et sœurs. Tante Linda descendait sûrement de l'un d'entre eux. Je n'ai pas eu le temps de remonter l'arbre généalogique de ma famille.

— Dans ce cas, vous êtes aussi un descendant, non ?

— C'est probable. C'est la première fois que j'ai droit à un trésor avant même d'avoir commencé à le chercher.

— Faux ! Il appartient à ceux qui l'avaient expédié.

— Ils sont tous morts depuis longtemps.

— Et leurs héritiers ?

— Il faudrait des années pour les retrouver.

— Ce serait plus long que de chercher l'or ?

— Ce serait surtout moins amusant et beaucoup moins profitable.

Il la regarda avaler une deuxième gorgée.

— Je ne boirais pas tant si j'étais vous.

Alexa vida son verre d'un trait.

— Je ne suis plus une enfant !

— Non ?

Furieuse, elle revint au sujet qui l'intéressait.

— Vous venez de dire que rechercher les héritiers

ne serait pas amusant. S'amuser est donc si important pour vous ?

— Très important.

— N'avez-vous donc aucun sens des responsabilités ?

La tête lui tournait un peu. Ah, l'aventure ! Pour la première fois de sa vie elle avait le courage de ne pas se montrer raisonnable.

— Le mot responsabilité est trop sérieux, répondit Derek. C'est parce qu'ils se sentaient responsables que mes parents sont morts, écrasés par leur devoir. Il faut profiter de chaque jour qui passe sans penser au lendemain.

— C'est sans doute pourquoi vous êtes sans racines.

— C'est pourquoi je suis libre !

Alexandra préféra ne pas répondre.

Lorsqu'ils débarquèrent, elle s'aperçut qu'elle ne marchait pas droit. Du gin au petit déjeuner n'était pas dans ses habitudes. Derek lui prit le bras.

— Besoin d'aide ?

— Absolument pas ! mentit-elle.

Elle crut qu'il allait la lâcher, mais il la serra plus fort.

— Plus d'alcool avant midi !

Ils passèrent devant un groupe de passagers attendant leurs bagages.

— L'avantage de voyager « léger », remarqua Derek, est de ne pas perdre de temps à récupérer ses valises.

— D'un autre côté, nous n'avons rien à nous mettre sur le dos !

Ils sortirent de l'aéroport et une chaleur humide les écrasa brusquement. Derek lui sourit.

— Il y a des choses plus importantes dans la vie.

Ce n'était pas de vêtements dont elle allait avoir besoin, mais d'une armure. Ce sourire ! Elle se mit à trembler. Etait-ce la boisson ou Derek ?

— Connaissez-vous la ville ? lui demanda-t-elle.

— Pas plus qu'une autre. Pourquoi ?

Il fit signe à un taxi, et ils s'installèrent sur la banquette arrière.

— Je veux m'acheter des vêtements. Je n'ai même pas de chemise de nuit.

Le chauffeur du taxi se retourna et sourit. Alexandra devint écarlate. Pourquoi avait-elle parlé si fort ?

— Commençons par retenir une chambre à l'hôtel, répondit Derek. Je suis certain que vous trouverez là toutes les boutiques nécessaires.

— Une chambre ? Certainement pas. Deux chambres !

Il feignit de n'avoir pas entendu et s'adossa confortablement, priant le chauffeur de les conduire à l'hôtel le plus proche de l'université.

En pénétrant dans le hall du Plaza, Alexandra s'adressa à Derek à voix basse.

— Je veux une chambre pour moi.

— Pourquoi jeter l'argent par les fenêtres ?

— Quel toupet ! Quand je pense que vous viviez dans une suite à New York !

Elle se souvint alors qu'il était parti sans payer. Bien sûr, il avait promis de régler sa note un jour, mais elle n'y croyait guère. Cependant, elle restait persuadée que son argent n'intéressait pas Derek. Il avait d'autres projets la concernant. Eh bien, il attendrait longtemps avant de les réaliser ! Les aventures sans lendemain ne lui convenaient absolument pas.

— Parfois, murmura-t-il, j'aimerais qu'on me remonte le moral.

— Ne comptez pas sur moi, Derek. Je veux ma propre chambre !

Il s'immobilisa à quelques pas de la réception et la prit aux épaules.

— Je fais ceci pour votre bien, Alexandra.

— Les bons sentiments ne vous siéent guère.

Il devint brusquement sérieux.

— Celui qui a dévasté votre appartement et si bien mis de l'ordre dans la réserve de la bibliothèque municipale est peut-être encore sur le sentier de la guerre.

Alexandra eut l'impression qu'une chape glacée se posait soudain sur ses épaules. Elle regarda autour d'elle, scrutant les clients de l'hôtel. Le vandale se trouvait-il parmi eux ?

— Vous pensez qu'il nous suit ?

— Lui ou elle. Il y a longtemps que je ne mésestime plus le sexe dit faible.

Nulle trace d'ironie sur ses lèvres et Alexa ne put s'empêcher de s'interroger sur les femmes qui avaient jalonné son existence. Avec la vie qu'il menait, il devait être difficile d'avoir une liaison suivie. De toute façon, les passades devaient plus facilement convenir à son caractère.

— Quoi qu'il en soit, poursuivit-il, la personne qui

s'intéresse tant à nous ne va pas tarder à se manifester. Si elle ne se trouve pas déjà en ville.

— Vous dites cela pour m'effrayer.

En tout cas, il avait réussi ! L'idée d'être suivie ne l'avait même pas effleurée. Elle eut brusquement l'impression de devenir l'héroïne d'un film d'espionnage, et cela lui déplut souverainement.

Derek se tourna vers le réceptionniste en haussant les épaules.

— Nous voudrions une chambre.

— Deux chambres, le reprit Alexa.

Son histoire ne tenait pas debout. Que pouvait-il lui arriver dans un si grand hôtel ?

— Deux chambres communicantes, précisa Derek.

Elle lui jeta un regard meurtrier mais se tut. S'il ne mentait pas, elle serait heureuse de le savoir à portée de voix. Elle songea confusément à cacher le livre avec soin avant de se coucher.

— Avez-vous des boutiques dans l'hôtel ? demanda-t-elle sans réfléchir.

— Evidemment ! s'exclama le petit homme. La galerie marchande se trouve sur la gauche du hall, là-bas.

Il indiqua vaguement la direction de la pointe de son stylo puis tendit celui-ci à Derek.

— Voulez-vous que je vous aide à choisir votre chemise de nuit ? chuchota Derek avant de se pencher pour signer le registre.

Alexandra nota qu'il inscrivait un faux nom. Lloyd Everett. Elle se retint de le questionner, se réservant ce plaisir pour plus tard.

— Non, répondit-elle. Je vous retrouverai dans votre chambre dans une heure.

Prenant la clef que lui tendait le réceptionniste, elle s'éloigna.

— Ma couleur favorite est le bleu ! lui lança alors Derek.

L'employé se pencha par-dessus le comptoir.

— Pas de bagages ?

— Nous aimons voyager léger, mon vieux.

Et Derek s'éloigna en sifflotant.

Alexandra choisit une chemise de nuit rose, bien que la bleue qu'on lui présentait fût plus seyante. Si Derek parvenait à s'introduire dans sa chambre sous un mauvais prétexte, ce qui ne manquerait certainement pas de se produire, elle ne voulait pas qu'il se réjouisse de l'avoir influencée. Pourquoi penser sans cesse à lui ? A l'idée de porter ce déshabillé devant lui, elle rougit. Il fallait qu'elle réagisse. Après tout, il y avait un trésor à la clef...

Les choses ne se présentaient pas sous les meilleurs auspices. Et si l'un des livres était perdu à jamais ? L'un d'eux avait bien échoué dans le grenier de la tante de Derek. Un autre pouvait se trouver Dieu sait où, ou avoir été détruit. Il y avait tant de possibilités d'échec.

Et même s'ils se procuraient les quatre livres ? Il leur resterait ensuite à déchiffrer le code. Lourde tâche qu'ils seraient peut-être incapables de mener à bien.

Derek avait-il réfléchi à tout cela ? Avait-il, tout comme elle, essayé de déchiffrer le code ? Cette longue suite de numéros n'avait aucun sens, apparemment.

Il fallait absolument qu'elle se détende. Un bon bain, une nuit de sommeil, et elle serait beaucoup plus optimiste.

La vendeuse, au moment d'emballer la chemise de nuit, lui présenta une jolie robe verte à bretelles, le vêtement parfait pour affronter la chaleur lourde et humide de ce mois de juin. Alexa l'essaya et s'y trouva si bien qu'elle se refusa à repasser son tailleur blanc abominablement froissé. Ayant fait l'acquisition de sous-vêtements de rechange, elle tendit sa carte de crédit à la jeune femme.

— Avec cette robe, vous devriez porter les cheveux sur les épaules, lui suggéra gentiment la vendeuse.

Encore une adversaire des chignons. Quand allait-on enfin lui laisser vivre sa vie tranquillement ? Alexa faillit la remettre à sa place mais se souvint à temps que sa mauvaise humeur était maintenant strictement réservée à Derek. Elle lui offrit donc un large sourire.

— Un chignon est plus confortable par cette chaleur.

Se regardant dans une glace, elle alla même jusqu'à remettre en place une épingle rebelle.

— A qui le dites-vous ! se lamenta la vendeuse. Je fais des heures supplémentaires uniquement pour profiter de l'air conditionné. Mon appartement ressemble à un four !

Elle rendit la carte de crédit à Alexa en soupirant.

— Et il paraît que la température va encore

monter. Si je le pouvais, je ne sortirais jamais de l'hôtel. Un bon conseil, si vous décidez de visiter la ville, assurez-vous que le bus est bien équipé de l'air conditionné.

— Je n'y manquerai pas, promit Alexa en rassemblant ses paquets.

En sortant de la boutique de mode, elle s'arrêta dans un bazar et acheta une brosse à dents. Après réflexion, elle en prit également une pour Derek, ainsi qu'un tube de pâte dentifrice et un peigne ; ainsi armée, elle se dirigea alors vers l'ascenseur.

A l'étage, elle glissa la clef dans la serrure. Impossible de la faire tourner. Enervée, elle s'appuya sur la porte qui s'ouvrit sans bruit. Son cœur fit un bond prodigieux dans sa poitrine. L'avertissement de Derek lui revint à la mémoire. Le vandale les avait-il déjà rejoints ? Se trouvait-il dans la chambre ? Alexandra aperçut furtivement une silhouette masculine qui se déplaçait dans la pièce. C'était lui, pas de doute. Que faire ?

La peur la cloua sur place, la rendant incapable d'appeler au secours.

— Alexa, vous n'allez pas passer votre vie dans le corridor ?

Derek !

Elle retint un soupir de soulagement et entra.

Au milieu de la pièce, une table dressée. Deux couverts et des plats surmontés de couvercles d'argent.

Elle adressa un coup d'œil interrogateur à Derek.

— J'ai pensé que vous deviez avoir faim.

— Et moi que vous étiez pressé.

Un horrible soupçon l'effleura. Etait-ce sa façon de commencer ses travaux d'approche ? Décidément, il allait lui falloir se méfier à toute heure du jour, et surtout de la nuit.

— Je lc suis. Mais on ne fait rien de bon l'estomac vide.

Il lui prit les paquets des mains et les déposa sur le lit.

— On dirait que vous n'avez pas perdu votre temps remarqua-t-il en l'observant. J'aime beaucoup la robe. Mais pour les cheveux...

— Ils resteront comme ils sont !

Derek n'insista pas et lui présenta un fauteuil.

— Et si nous déjeunions ?

Elle s'aperçut alors qu'elle mourait de faim. Pourquoi fallait-il qu'il ait toujours raison ? Et, surtout, pourquoi détestait-elle tant cela ?

Au moment où il s'asseyait en face d'elle, Alexandra leva la tête.

— Qui êtes-vous ? lui demanda-t-elle.

Chapitre 6

La question ne le prit nullement au dépourvu. Impassible, il continua à découper son steak.

— Que voulez-vous dire, exactement ?

— C'est pourtant simple. Etes-vous Derek Montaigne, Lloyd Everett, Dupont ou Dupond ?

Il éclata de rire et Alexandra eut l'impression qu'elle avait vu passer une lueur de soulagement dans son regard. Elle attendit impatiemment sa réponse.

— L'explication est parfaitement logique, dit-il après avoir avalé un petit morceau de viande. J'ai pris ce nom pour tromper un éventuel suiveur.

C'était un peu gros. S'imaginait-il qu'elle le croirait ?

— Ne serait-ce pas plutôt pour tromper d'éventuels créanciers lancés à votre poursuite ?

Il ne se donna même pas la peine de lever la tête de son assiette.

— Il y a aussi un peu de cela.

Allait-elle encore le questionner longtemps ? Derek soupira. Sa façon de vivre n'était pas très orthodoxe, certes, mais il avait espéré qu'Alexa l'accepterait tel qu'il était.

Alexandra, de son côté, se demandait ce qu'elle faisait avec cet homme qui vivait dans l'illégalité. Plus tôt cette escapade se terminerait, mieux ce serait. Elle se refusait à croire que l'aventure durerait bien longtemps.

Lorsqu'ils pénétrèrent dans le grand hall de la bibliothèque de l'université, Alexandra posa la main sur le bras de Derek.

— Laissez-moi parler. Les livres sont ma spécialité.

Il l'empêcha de prendre les devants.

— Peut-être, mais les femmes sont la mienne.

D'un signe de la tête il lui désigna alors la jeune bibliothécaire qui se tenait derrière un bureau.

Il avait encore une fois raison. Alexa recula d'un pas et le laissa la précéder.

Il passa froidement devant les nombreux étudiants qui attendaient leur tour et se pencha sur le bureau.

La jeune femme abandonna immédiatement son air revêche en croisant le regard de Derek. Alexa se tint légèrement en retrait, de peur de gâcher les chances de son compagnon. Mais s'apercevant que la jeune employée ne s'était même pas aperçue de son existence, elle s'avança un peu pour ne rien manquer. Derek concluait justement ses explications.

— Et l'homme chargé de l'expédition a malencontreusement emballé l'un des livres de ma sœur avec les autres. Je me demande si vous pourriez nous laisser le rechercher.

— Mais avec le plus grand plaisir ! Donnez-moi le nom de l'ouvrage et...

Alexa pâlit. Comment savoir ? Elle s'imaginait déjà entre les mains du sheriff. Derek quant à lui ne se démonta pas pour si peu.

— C'est inutile, dit-il en désignant Alexa. Ma sœur le retrouvera bien toute seule.

La bibliothécaire hésita.

— C'est que le legs est encore dans des caisses.

Derek balaya d'un geste ses hésitations.

— Doris n'a pas peur d'ouvrir des cartons. N'est-ce pas, Doris ?

Doris ? Sans hésiter Alexa secoua vigoureusement la tête, se réservant de le questionner plus tard au sujet de ce brusque changement de prénom. Elle prit un air particulièrement angélique.

— Pas le moins du monde...

— Dans ce cas, je vais vous accompagner, trancha la bibliothécaire.

Derek lui prit aussitôt le bras, comme s'il s'agissait d'une vieille connaissance, l'empêchant ainsi de revenir sur sa décision.

— Nous vous suivons, ma chère.

Leur départ fut accueilli par toutes sortes de protestations.

Alexandra les suivit, partagée entre l'admiration et la révolte. La jeune femme tira un trousseau de clefs de sa poche et ouvrit une porte.

C'était là aussi une pièce mal aérée, mais celle-ci n'avait pas encore été visitée par le vandale inconnu. Les avait-il réellement suivis ? Alexa en douta.

L'histoire que lui avait racontée Derek pendant le déjeuner lui sembla soudain invraisemblable.

— Si j'étais raisonnable, je demanderais son autorisation à M. Phipps, murmura la bibliothécaire, un peu inquiète malgré tout.

Derek lui adressa son plus beau sourire et Alexa fut certaine qu'elle en oublia instantanément l'existence de son M. Phipps.

— Ne le dérangez pas pour si peu, murmura-t-il. Je suis persuadé qu'il est au moins aussi occupé que vous. Il ne s'agit que d'un horrible malentendu.

Il baissa encore la voix.

— Je ne sais pas pourquoi Doris tient tellement à ce livre, mais je n'ose la contrarier. Elle est un peu bizarre, voyez-vous. J'ai promis à notre mère de m'en occuper et...

— Je comprends, chuchota son interlocutrice. Mon pauvre monsieur.

Derek prit un air de martyr.

— C'est une question d'habitude. Nous ne serons pas long, Doris va se dépêcher.

Alexa se mit immédiatement à l'ouvrage, s'attaquant d'abord à la seule caisse ouverte.

— Resterez-vous longtemps en ville ?

— Malheureusement pas, soupira Derek. Nous devons repartir demain matin. Mais il est possible que nous nous attardions. Si j'osais...

Il n'eut pas à aller plus loin. La jeune bibliothécaire écrivait déjà son adresse et son numéro de téléphone sur la page d'un carnet.

— Merci. Il serait si agréable de visiter la ville accompagné d'un joli guide...

La jeune femme sortit, des rêves pleins les yeux. Derek se tourna alors vers Alexa.

— Ouf ! elle ne parlera pas de nous à ce Phipps.

— Vous êtes tout de même incroyable !

— Pratique, corrigea-t-il. J'aime couvrir mes arrières.

Il regarda la caisse béante.

— De la chance ?

— Pas encore.

Derek retira sa veste et retroussa ses manches.

— Eh bien, allons-y, Doris !

Elle le vit s'attaquer joyeusement à une pile de livres poussiéreux.

— Pourquoi Doris ?

— Parce que c'est plus féminin que Derek. S'il y avait vérification après notre passage, ces braves gens découvriraient qu'il existe bien un D. Montaigne et n'iraient pas chercher plus loin.

Avant de reposer les livres, Derek examinait soigneusement chaque intérieur de couverture, bientôt imité par Alexa.

— Je vois que j'ai été promue, remarqua-t-elle.

— Pardon ?

— Ce matin j'étais votre cousine, maintenant je suis votre sœur.

Il lui lança un clin d'œil.

— Je suis impatient d'être à ce soir.

— Ce soir, je serai morte de fatigue.

— Je ferai mon possible pour vous réveiller, murmura-t-il entre ses dents.

Alexa fit celle qui n'avait pas compris.

Au bout d'une demi-heure, elle poussa un long soupir.

— Ne pourrions-nous ouvrir un peu la porte ?

Derek secoua la tête.

— Impossible de courir le risque de répondre aux questions indiscrètes de Phipps ou d'un autre.

— Pourquoi ? N'avez-vous donc plus confiance en votre charme ?

— Il ne faut jamais présumer de son pouvoir. La chance peut tourner, et alors...

— Ne me dites pas que, l'âge venant, vous devenez pusillanime.

— Sait-on jamais ? Il y a des sujets que j'aborde avec la plus extrême prudence.

— Vous voulez parler du mariage, par exemple ?

Elle avait lancé la question au hasard, mais s'aperçut à son expression qu'elle avait touché juste.

— J'ai su que vous étiez intelligente au moment où je vous ai vue.

— Si je l'étais, je ne perdrais pas mon temps dans cette pièce étouffante, à des centaines de kilomètres de mon foyer, à la recherche d'une carte qui n'existe peut-être pas.

Derek s'immobilisa, puis, se penchant vers elle, il prit son visage dans ses mains.

— Je croyais que vous étiez ici à cause de moi.

Il plaisantait, bien sûr, pourtant, un instant, il sembla à Alexa que les murs de la petite pièce sans air se fondaient dans une sorte de néant. Un peu comme lorsqu'elle s'était évanouie. Son cœur se mit à battre plus vite.

Il allait l'embrasser. Un instant, elle faillit écouter

la raison, mais elle se ravisa. Elle désirait ce baiser, plus que tout au monde, et elle ferma les yeux.

— Comment vont les recherches ? demanda la jeune bibliothécaire en passant la tête dans l'entrebâillement de la porte.

Elle n'aurait pu choisir un plus mauvais moment, songea Alexa. Ou un meilleur, son apparition lui évitant d'être embrassée... La situation était déjà assez compliquée. Si elle se laissait aller...

— Nous ne l'avons pas trouvé, répondit Derek en gardant le visage d'Alexa dans ses mains. Doris est dans tous ses états.

Immédiatement, Alexandra prit un air désespéré.

— Voulez-vous que je vous donne un coup de main ?

— Merci. Nous vous avons assez dérangée comme ça.

La jeune femme se retira, et Alexa s'écarta brusquement.

— Il reste encore cette caisse qui n'est pas ouverte, dit-elle à Derek d'un ton un peu trop sec. Si vous vous en occupiez ?

Sans commentaire, il ramassa le pied-de-biche qui avait servi à ouvrir les autres caisses, et s'y attaqua sans plus tarder.

Alexa contempla un instant ses muscles que l'effort faisait jouer. Sa gorge devint sèche.

Une heure plus tard, découragée, elle remit en place le dernier livre.

— Nous n'y arriverons jamais, grommela-t-elle.

Alors qu'elle était épuisée, Derek semblait frais et

dispos. Comment faisait-il pour être si net malgré la chaleur et la poussière ? Il replaça soigneusement le couvercle sur la caisse.

— Ne soyez pas pessimiste. Dans ce métier, il faut savoir se montrer patient. Vous apprendrez.

— Je ne veux pas apprendre ! Je désire trouver les autres livres, résoudre le mystère et reprendre ensuite une vie normale, ma petite existence calme et confortable.

Elle releva une mèche qui s'était échappée de son chignon.

— Comment pouvez-vous supporter une vie pareille ? s'exclama-t-il en jetant sa veste sur son épaule. Se lever tous les matins en sachant d'avance ce que l'on va faire, quel ennui !

— Je suis désolée. Je m'énerve toujours lorsque je manque d'air. Je hais la chaleur poisseuse de l'été. Je ne suis moi-même que quand il neige.

Cette déclaration le fit sourire.

— Il faudra que je me souvienne de conduire ma prochaine expédition en Alaska.

Alexa sourit à son tour, soudain détendue. Elle comprenait maintenant pourquoi Derek arrivait à séduire si facilement les gens. Sa bonne humeur était irrésistible.

— Quel est le programme, maintenant ?

— Retourner à l'hôtel et réfléchir, répondit-il en passant un bras autour de ses épaules.

Trop fatiguée pour le repousser, Alexa le laissa faire.

— C'est la meilleure idée que vous ayez eue de la journée.

— Non, ce n'est pas la meilleure, mais nous reparlerons de l'autre plus tard.

Elle ne chercha pas à deviner ce qu'il voulait dire par là. Pour le moment, elle avait besoin d'air et de repos.

Ils se séparèrent devant la porte de sa chambre un peu trop facilement. Alexa s'était plus ou moins attendue à ce que Derek la suive sous un prétexte ou un autre. Mais il n'en fit rien. Une fois seule, elle poussa un soupir de soulagement.

— Tu es morte de fatigue, ma fille, murmura-t-elle en tirant sur la fermeture à glissière de sa robe. Pourquoi espérais-tu qu'il te suivrait ? Tu as un livre, c'est la meilleure assurance que tu puisses posséder.

Retirant l'ouvrage de son sac, elle chercha un endroit où le dissimuler. Son regard s'arrêta sur le lit. Evidemment, ce n'était pas la cachette idéale, mais ce serait suffisant. Pour le lui dérober, il faudrait que Derek la jette au bas du lit, ce qu'il ne pouvait faire sans la réveiller

Alexandra souleva le matelas et glissa le volume dessous. Ensuite, elle alla fermer la porte à double tour, mais sans grande conviction. Depuis quelque temps, elle ne croyait plus en l'efficacité des serrures. Elle verrouilla également la porte communiquante.

Dans la salle de bains, elle trouva près de la baignoire un paquet de sels de bain. Un bain de mousse ! Quel luxe inouï après toute cette poussière. Ayant disposé les paillettes dans le fond de la baignoire, Alexa ouvrit les robinets et regarda, fascinée, les petites bulles qui venaient crever la surface de l'eau. Un long bain chaud et parfumé ! Elle allait enfin pouvoir se détendre et effacer les fatigues accumulées au cours des dernières heures.

Elle se déshabilla rapidement et se glissa dans l'eau tiède. Le paradis ! Fermer les yeux et ne plus penser à rien !

— Vous ressemblez à une petite nymphe.

— Derek ! Que faites-vous ici ?

N'avait-elle pas droit à un moment de tranquillité ?

— Je vous admire. En entrant dans votre chambre, j'ai aperçu de la lumière dans la salle de bains. J'ai entendu de l'eau couler et j'ai compris que vous vous y trouviez.

Son sourire s'élargit.

— Voulez-vous que je vous frotte le dos ? demanda-t-il d'un air innocent.

Alexa essaya de rassembler assez de mousse à la hauteur de ses seins pour les dissimuler, mais ses efforts furent vains. La panique, l'indignation et une autre émotion qu'elle n'osa qualifier s'emparèrent d'elle.

— Non, je suis assez agile pour le frotter moi-même ! Allez-vous-en ! Un gentleman sudiste ne se glisserait jamais ainsi dans la chambre d'une dame.

Mais il ne sortit pas. Horrifiée, Alexandra le vit même s'asseoir sur le rebord de la baignoire, du côté de ses pieds. Il plongea la main dans l'eau, et l'agita doucement, contribuant encore à éclaircir la mousse.

— Vous ne savez pas vous amuser, Alexandra.

— Sortez !

Elle chercha des yeux une serviette. Il y en avait deux, mais elles se trouvaient hors de portée. Elle s'enfonça un peu plus dans l'eau et remonta les genoux. Mon Dieu, à quel jeu jouait-il à présent ?

— De quoi avez-vous peur ? lui demanda-t-il d'une voix douce.

Et il continuait à agiter la main et à faire disparaître les dernières bulles !

— Je n'ai peur de rien ! répondit-elle d'un ton ferme. Je préfère seulement choisir ceux que j'accueille dans ma salle de bains. Je n'ai pas l'habitude de recevoir des hommes dans ma baignoire.

— Vous ne savez pas ce que vous perdez, dit-il en se levant et en commençant à déboutonner sa chemise.

— Que faites-vous ?

Elle aurait voulu protester plus vigoureusement encore, mais sa voix s'étrangla. Cet homme était décidément insupportable.

— Ce bain a l'air bien agréable.

— Les hommes ne prennent pas de bain de mousse !

Indignée, Alexa chercha un objet qu'elle pourrait lui lancer à la tête. Elle n'aperçut qu'une éponge. Un peu léger... Oh, pourquoi s'était-elle séparée de sa belle batte de baseball ?

— Ils en prennent lorsque l'atmosphère est propice.

Quand allait-il cesser de la narguer ?

— Elle ne l'est pas !

— Elle l'est de là où je me trouve.

Il ne la regardait plus dans les yeux. Alexa eut peur de suivre la direction de son regard. Elle s'y força pourtant. La mousse avait presque disparu! Et cette eau qui commençait à refroidir...

— Si vous possédiez un minimum d'éducation, vous sortiriez.

Allait-il se vexer et partir? Il ne bougea pas d'un pouce!

— Pourquoi prétendre que je suis un gentleman alors que vous ne manquez pas une occasion d'insinuer le contraire?

Voyant qu'Alexa allait se fâcher pour de bon, il leva la main.

— Bon, bon, ne vous énervez pas. Je vais me retourner pour vous permettre de sortir.

— Merci, répondit-elle, glaciale.

— Il n'y a pas de quoi, répondit-il en se plaçant face à la porte.

Alexandra se leva d'un bond, sans cesser de surveiller son dos, s'empara d'une sortie de bain et s'en enveloppa. Elle ne se donna pas la peine de se sécher, persuadée que Derek allait se retourner d'un instant à l'autre.

— J'avais fermé les portes, lui fit-elle remarquer.

— Je sais.

Elle se mit devant lui.

— Savez-vous également pénétrer subrepticement chez les gens?

D'un petit geste de la main, Derek retira un peu de mousse qui restait collée à sa peau nue, sur l'épaule. A ce contact, elle se sentit brusquement très vulnérable. A cet instant, Alexa aurait beaucoup donné pour être vêtue autrement.

— Je suis trop grand et bien trop lourd pour grimper le long des façades, lui dit-il.

Malgré cette réponse évasive, elle continua à penser qu'à une époque de sa vie il avait dû être cambrioleur. Mais c'était le présent, et non le passé, qui occupait ses pensées pour le moment. Il n'avait pas retiré sa main, bien qu'il n'y ait plus de mousse. Et elle était incapable de s'écarter de lui.

— C'est doux, murmura-t-il.

Ah, trouver une réplique cinglante qui le fasse disparaître dans un trou de souris ! Malheureusement, rien ne vint à l'esprit. Incapable de se détacher de lui, incapable de le remettre à sa place... La fréquentation de ce bel aventurier l'aurait-elle rendue stupide ?

Et ses jambes qui la soutenaient à peine !

— Dites-moi, Miss Alexandra Taylor, êtes-vous toute douce de partout ?

Alexa réfléchit intensément pour tenter une réplique pertinente, lui donnant à penser qu'elle était sûre d'elle, ce qui était loin d'être le cas.

— Je ne suis pas un caramel, si c'est ce que vous voulez savoir. Je ne fondrai pas ni ne me liquéfierai comme Julia et cette petite bibliothécaire stupide. Quand je pense que la pauvre fille doit être assise devant son téléphone, attendant que vous l'appeliez. Ce serait à mourir de rire si ce n'était aussi triste.

Pas mal, mais sans effet. Derek ne l'avait pas même écoutée. Baissant la tête, il déposa un petit baiser sur son épaule nue. Un baiser si léger qu'elle eut l'impression qu'un papillon venait de se poser là. Une vague de chaleur l'envahit.

En fait, Derek avait parfaitement entendu ce qu'elle venait de dire.

— Si je n'avais pas agi ainsi elle se serait montrée trop curieuse, murmura-t-il tout contre sa peau humide.

Il déposa un second baiser à la base de son cou. Pourquoi ne se dégageait-elle pas ? Ne le repoussait-elle pas ? Alexa subissait, passive en apparence.

— Nous devons trouver cet or.

— Nous ? Je parie que vous pensez seulement à vous en disant cela.

Elle fut surprise de se découvrir capable de parler. Pourtant, elle avait le plus grand mal à penser correctement.

— Non, j'ai bien dit nous.

Il cessa un instant de l'embrasser ; Alexa en fut soulagée, et terriblement désappointée à la fois...

— Celui qui a ravagé votre appartement et la réserve de la bibliothèque doit s'être lancé à notre poursuivre. Je peux me défendre, mais vous...

— Je n'ai besoin de personne pour me défendre ! s'écria-t-elle, reculant enfin d'un pas.

Derek eut la décence de ne pas rire.

— Vraiment ?

Avant qu'elle ait le temps de s'en rendre compte, il l'enlaça et l'attira à lui.

— Je suis ici pour vous protéger.

— Et qui me préservera de vous ?

Malgré le ton léger de la réponse, son cœur battait à tout rompre.

Il prit ses lèvres sans même qu'elle s'en rende compte.

Chapitre 7

Alexa avait eu raison de penser que Derek devait être un amant superbe. Son baiser était divin !

Pourtant, il avait commencé par être très anodin, avant de devenir plus insistant, de croître en intensité avec son désir.

Un baiser très doux, celui dont toute femme devait rêver...

Les mains de Derek glissèrent sur sa peau, repoussèrent légèrement la serviette. Elle reprit immédiatement ses esprits. Non, elle ne pouvait pas, même si elle brûlait de dire oui. Il n'était pas question de lui concéder un tel pouvoir sur ses sens. S'ils devaient continuer à être égaux, associés, elle ne se soumettrait pas aux exigences de son corps.

Derek la sentit se raidir et la relâcha.

— Que vous arrive-t-il ? demanda-t-il, étonné.

Alexa prit le temps de renouer la serviette autour d'elle avant de répondre.

— Je n'aime pas être séduite.

— Vraiment ? J'avais pourtant l'impression que

nous pourrions facilement nous associer en amour comme pour la chasse au trésor.

Il ne paraissait même pas déçu. Ce n'était qu'un jeu pour lui. Au fond, Alexa l'avait toujours su. Comment avait-elle pu espérer, même un instant, qu'il en aille différemment ? Cet homme était uniquement mené par l'appât du gain. Pourtant, malgré sa lucidité à ce sujet, Alexandra conservait un tout petit espoir.

— Si je n'étais aussi fatiguée... Vous avez lâchement profité de la situation, me surprenant alors que je n'étais pas sur mes gardes.

— Les bains de mousse ne sont plus ce qu'ils étaient, murmura Derek en promenant sa main dans l'eau où toute trace de bulles avait disparu.

— Faut-il que vous plaisantiez à propos de tout ?

— Non, répondit-il d'une voix douce en caressant son visage du bout des doigts, pas du tout.

— En arrivant, vous avez déclaré que vous vouliez me parler. A propos de quoi ?

La serviette glissa de nouveau ; Alexa la remit en place comme elle le put.

Derek l'observa et dut se faire violence pour ne pas l'en empêcher. Il désirait tant la voir nue... Il se contenta de lever les yeux et de la dévisager.

— Je voulais savoir si vous désiriez dîner, et si vous pouviez me prêter votre livre pour la nuit. J'aimerais étudier les deux volumes et...

— Non.

— Non ? A quoi ? Au dîner ou au livre.

— Aux deux, répondit-elle d'un ton calme et assuré. Je suis beaucoup trop fatiguée pour dîner et ne suis pas prête à vous confier le livre. Pas encore. Je désire d'abord l'examiner soigneusement.

Un court silence s'établit, durant lequel elle rougit sous le regard intense dont il la couvait.

— Vous me désiriez à l'instant. Votre corps était souple et chaud, contre le mien. Mais vous avez reculé et avez préféré me traiter de tous les noms. Pourquoi ?

Il plaça la main sur la poignée de la porte pour lui signifier qu'il ne la forcerait pas, qu'il était prêt à partir. En règle générale, les femmes ne se refusaient jamais à lui. La réaction d'Alexa le surprenait.

Alexandra faillit lui demander une nouvelle fois de sortir, mais quelque chose en elle la retint, un besoin diffus de le retenir encore un peu, de lui parler d'elle.

— Je n'aime pas les liaisons passagères, répondit-elle enfin. Après tout, je vous connais à peine.

Il ne put s'empêcher de se moquer gentiment d'elle.

— Je croyais que les femmes modernes et libérées étaient au-dessus de tels détails, lança-t-il en ouvrant la porte.

Alexa fit malencontreusement glisser la serviette, qu'elle rattrapa en catastrophe.

— Cela prouve que je ne suis pas très moderne, répliqua-t-elle fièrement.

Il partit et elle laissa échapper un long soupir de soulagement. Jamais elle ne s'était sentie aussi tendue, aussi oppressée à cause d'un homme.

Il faudra s'y habituer, se dit-elle. Elle n'allait pas renoncer à cette escapade pour si peu ! Même s'il lui faisait tourner la tête, elle ne reculerait plus.

Elle pressa son oreille contre le panneau de la porte et essaya de deviner si Derek se trouvait encore dans sa chambre. Puis soudain, la colère la prit. Que faisait-elle, cachée dans sa propre salle de bains ? Elle avait parfaitement le droit d'occuper sa chambre et d'en chasser les intrus ! Alexa ouvrit la porte à la volée.

Personne.

Elle se précipita sur la porte de communication pour boucler mais se souvint que les serrures ne résistaient guère à Derek...

— Qu'il aille au diable ! grommela-t-elle.

Puisqu'elle ne pouvait se fier à un verrou, elle ne dormirait pas et monterait la garde.

Mais d'abord, il fallait s'habiller.

Alexa enfila à la hâte les sous-vêtements de rechange qu'elle avait achetés à la boutique de l'hôtel, puis elle passa sa robe. Son tailleur blanc était trop froissé. Malheureusement, la robe l'était tout autant. Elle la retira en soupirant et mit sa chemise de nuit neuve qui s'avéra un peu trop transparente, mais elle décida de la garder.

D'ailleurs, elle était maintenant persuadée que Derek n'était pas homme à utiliser la force pour arriver à ses fins. Il s'était montré très raisonnable, finalement, l'instant où elle s'était abandonnée dans ses bras...

Avant de se coucher, elle passa la main sous le matelas. Le livre n'y était plus ! Derek ! Il avait osé ! D'un geste rageur, Alexa retourna le matelas, pour découvrir qu'elle avait cherché au mauvais endroit. Le livre se trouvait simplement de l'autre côté. Au lieu d'en rire, tout simplement, elle ne parvint qu'à s'irriter davantage...

Après avoir remis de l'ordre dans la literie, elle s'installa devant un petit bureau et se mit à étudier les chiffres gribouillés sur la couverture. Une ligne continue de nombres avec un espace de temps à autre. Cela n'avait aucun sens. Arriveraient-ils à déchiffrer le code lorsqu'ils seraient en possession des quatre ouvrages ? S'ils les trouvaient jamais !

Un instant, Alexa caressa l'idée de frapper à la porte de la chambre de Derek pour lui emprunter son livre, mais la légèreté de sa tenue l'en dissuada. De plus, il devait vouloir le conserver, car il n'accordait certainement pas facilement sa confiance.

Elle bâilla. Non, elle devait rester éveillée ! Avec un peu de chance, elle arriverait peut-être à découvrir la clef du code. Lorsqu'elle s'endormit sur le livre, elle ne s'en rendit même pas compte...

Elle était bien. Elle se blottit contre son torse. Son torse ? Ouvrant les yeux, Alexa s'aperçut qu'elle était dans les bras de Derek et qu'il la portait.

— Que faites-vous ? s'écria-t-elle en se débattant aussitôt.

Il écarta les bras et la laissa tomber sur le lit.

— Je vous couche, dit-il en souriant, amusé. Portez-vous toujours des sous-vêtements sous votre chemise de nuit ?

— Ma façon de me vêtir ne vous regarde pas ! Que faites-vous dans ma chambre ?

Derek s'assit sur le bord du lit.

— Calmez-vous. Je ne fais jamais l'amour à une femme endormie.

Alexa recula de quelques centimètres et remonta le drap. Elle avait du mal à détourner les yeux de sa poitrine nue.

— Nous sommes tous les deux éveillés et rien ne se passera !

— Alexa, si nous devons travailler ensemble, vous devez apprendre à me faire confiance, ne serait-ce qu'un peu.

— J'y parviendrais certainement si vous perdiez l'habitude de pénétrer chez moi pour un oui ou pour un non.

Elle s'aperçut qu'il était irrité mais essayait de le dissimuler.

— Vous dormiez le nez sur votre livre et...

Devant son regard inquiet, il ne put s'empêcher de rire.

— Je n'y ai pas touché, rassurez-vous. Si je vous avais laissée dormir dans cette position, vous auriez eu mal au dos demain et seriez encore plus désagréable que de coutume.

— Désagréable ?

— Oui. Vous êtes la plus désagréable, la plus frustrée et la plus jolie des femmes.

— Je ne suis pas frustrée !

— Dans ce cas, pourquoi hurler ?

Alexa se mordit la lèvre.

— C'est vrai, je suis frustrée, admit-elle. Mais c'est à cause de vous. Je ne sais jamais ce que vous avez en tête et...

Il se rapprocha.

— Vous ne le devinez pas un peu ?

Une voix de velours... Alexa se sentit trop épuisée

pour le repousser. Pourtant, c'était ce qu'elle aurait dû faire. Elle recula encore et s'adossa à la tête de lit.

— Comme vous êtes tendue, murmura-t-il en s'immobilisant.

— Comment voulez-vous que je me sente à l'aise ? Mon appartement a été cambriolé deux fois, j'ai passé l'après-midi dans un réduit poussiéreux, je suis privée de bain, de sommeil... Et vous êtes étonné de me voir tendue !

— Il y a un masseur dans l'hôtel. Il a une excellente réputation.

— Vraiment ?

— Oui.

— Vous le connaissez ?

— Evidemment, c'est moi !

— Je ne pense pas...

— C'est cela, ne pensez pas.

Il la retourna sur le ventre et la força à s'étendre bien à plat.

— Ne bougez pas et relaxez-vous. Je m'occupe de tout.

— C'est exactement ce que je redoute.

Derek se contenta de rire.

Alexandra aurait voulu protester, mais il avait déjà commencé et elle dut reconnaître que ses mains étaient magiques. Elles couraient maintenant le long de sa colonne vertébrale, dégageant un fluide qui détendait chacun de ses muscles. Ses longs doigts si délicats possédaient une force peu commune. Comme elle se sentait bien... A quoi aurait servi de se rebeller ? Quelques minutes de bien-être n'engageaient à rien.

— Vous devriez vous détendre plus souvent, Alexa. Les anxieux ne vivent jamais longtemps.

Elle posa le menton sur ses mains croisées.

— J'ai l'impression d'avoir vécu une vie complète en vingt-quatre heures, avoua-t-elle dans un souffle.

— C'est parce que vous menez une existence trop casanière, dit-il en appliquant ses paumes sur une autre partie de son dos.

Normalement, elle aurait dû s'insurger contre une telle déclaration. Pourtant, elle n'en fit rien. Il avait raison. Sa vie était ennuyeuse.

Elle frissonna. Ses mains, maintenant, glissaient le long de ses flancs, à quelques centimètres de ses seins. Elle se tendit de nouveau, gagnée par un désir incontrôlable.

— Du calme, Alexandra.

Curieusement, elle obéit.

— Voilà qui est mieux.

Sa voix agissait sur elle comme une drogue. Elle lui parvenait au travers d'une sorte de brouillard.

— Ceci nous gêne.

Sa chemise de nuit ! Elle tenta de la retenir mais il écarta ses mains sans peine.

— Ne vous contorsionnez pas de la sorte, vous allez vous faire mal. Faites-moi confiance.

— Me fier à vous ? Autant confier un gâteau à un gourmand en lui recommandant d'y veiller !

Cependant, elle n'essaya plus de tirer sur la chemise. Son massage était tout simplement inouï. Jamais elle ne s'était sentie aussi bien.

— Non !

Là, il allait trop loin. Derek venait de dégrafer son soutien-gorge.

Il approcha sa bouche tout près de son oreille.

— Chut ! Relaxez-vous.

Vaincue, émerveillée par tant de bien-être, Alexandra le sentit poser les mains sur ses hanches. Elle s'immobilisa, le souffle coupé. Ses mains remontaient inexorablement vers ses seins...

— Derek ! protesta-t-elle faiblement.

— Je ne laisse jamais rien au hasard, affirma-t-il, imperturbable.

Retenant son soutien-gorge de ses mains, Alexa se retourna.

— Je me sens beaucoup mieux, maintenant. Merci. Vous pouvez partir.

Mais Derek s'abandonna tout contre elle, sa bouche à quelques centimètres de son visage.

— Partir ? Comme vous êtes cruelle.

Ne pas le rejeter, accepter ses caresses eût été un délice... mais une folie totale. Alexa entrouvrit les lèvres pour le lui dire, mais elle ne fit que cueillir son baiser qui la submergea comme un raz de marée, détruisant en elle toute envie de résister.

Derek se glissa à ses côtés et l'enlaça, la serrant contre lui, lui communiquant sa chaleur. Elle sut qu'elle était perdue mais ne fit pas un geste pour se défendre.

Lentement, il couvrit ses yeux de baisers, puis ses joues, puis sa gorge. Plus il l'embrassait, plus son cœur s'affolait. Elle voulait qu'il pose les mains sur elle, partout à la fois. Jamais elle n'avait éprouvé un tel désir.

Sans que ses lèvres cessent de courir sur son corps, il la dépouilla de ses vêtements. Elle crut devenir folle sous ses caresses. Elle se serra contre lui et quand elle découvrit l'ardeur de son désir, elle en fut très fière, l'espace d'un instant. Puis la raison lui souffla qu'elle serait trop vulnérable en devenant sienne ; il la dominerait alors, et il n'en était pas question.

— Non ! tenta-t-elle alors de protester.

Mais il ferma sa bouche de ses lèvres et elle entrouvrit la sienne, incapable de lutter. Après bien des hésitations, elle finit par répondre à son baiser : elle en frémit longuement, et avec un gémissement d'aise, elle passa les bras autour de son cou.

Lorsqu'il s'écarta légèrement pour la dévisager, son visage avait revêtu une expression nouvelle, plus douce.

— Tout ceci fait-il partie des massages ? lui demanda-t-elle en souriant, soudain détendue.

— Pas jusqu'à ce jour, murmura-t-il en écartant une mèche de son visage.

Comme elle aurait voulu le croire... Mais la raison lui disait qu'elle n'était qu'une conquête de plus sur une longue liste. Sa fierté aurait dû l'empêcher d'aller plus loin, de devenir un nom de plus dans l'inventaire des femmes qu'il avait possédées. Hélas, Alexa n'avait plus de fierté depuis l'instant où il l'avait prise dans ses bras.

Elle essaya de s'envelopper dans la chemise de nuit.

— A quoi bon ? dit-il. Elle est si transparente que vous auriez seulement l'illusion d'être protégée.

Il écarta le tissu diaphane d'un petit geste de la main.

— Je croyais que l'illusion appartenait à votre façon de vivre.

— Ce n'est pas tout, murmura-t-il mystérieusement.

Elle retint son souffle.

— Vous êtes très belle, trop belle !

Il l'embrassa de nouveau.

Tout chavira. C'était comme si Alexa se trouvait au beau milieu d'un énorme feu d'artifice. Chacun de ses baisers, la plus légère de ses caresses allumaient autant d'incendies sur sa peau. Elle le vit se dévêtir. Elle n'esquissa pas un geste pour l'en empêcher. Leurs corps brûlaient, l'un contre l'autre.

Lentement, Derek retira les épingles qui retenaient son chignon, une à une. Sa lourde chevelure coula sur ses épaules.

— C'est mieux, beaucoup mieux, dit-il d'une voix brisée par le désir.

Alexandra faillit le supplier de la faire sienne sans attendre.

Pourtant, elle tenta de reculer encore cet instant divin. Et puis, elle désirait lui poser une question. Elle hésita, rassembla enfin son courage et se lança.

— Combien vous a-t-il fallu connaître de femmes pour arriver à un tel savoir-faire ?

Pas de réponse.

Derek prit son visage dans ses mains et la dévisagea un long moment, l'air grave soudain.

— Une, dit-il enfin.

Il déposa un petit baiser sur ses lèvres.

— Vous, ajouta-t-il.

Elle se serra très fort contre lui. C'était la réponse dont elle rêvait. Maintenant, elle pouvait se donner à lui.

Chapitre 8

— Cela ne change rien entre nous, déclara Alexandra un peu plus tard, quand ils se réveillèrent, comblés.

Elle venait d'ouvrir les yeux, blottie tout contre lui, mais une désagréable impression de malaise s'insinua en elle. Il lui fallait raffermir sa position avant qu'ils aient dépassé un certain seuil.

Derek l'observa un instant :

— Vraiment ?

Comme il était difficile d'avoir l'air déterminée quand tous ses sens répondaient de nouveau au désir qui montait doucement en elle... Elle tira le drap pour s'en couvrir.

— Non, cela ne change rien. Nous sommes toujours associés.

Derek passa un doigt à la base de son cou, créant une multitude de sensations.

— Pourquoi en serait-il autrement ? s'étonna-t-il innocemment.

Parce que tu es malhonnête, se dit-elle. Je n'aime pas cela mais c'est ainsi, il faudra bien que je m'en accommode. Et je ne pourrai jamais te faire confiance.

— Parce que vous êtes un filou.

Elle l'observa, curieuse de sa réaction.

— Faites-vous habituellement l'amour avec des filous ? demanda-t-il sans cesser de caresser son cou.

Caresses trop précises. Alexandra s'alanguit.

— Non, je ne fais habituellement l'amour avec personne.

Derek s'appuya sur un coude.

— Je suis très flatté d'avoir été accepté dans un club si exclusif, murmura-t-il.

Il tira sur le drap, la dénudant d'un seul coup.

— Et plus encore d'avoir pu vous posséder.

Avant qu'elle ait le temps de répondre, il l'embrassa de nouveau. Leur désir s'éveilla brusquement et elle oublia immédiatement toutes ses réticences

Lorsqu'Alexandra s'éveilla de nouveau, il faisait jour. Elle s'étira paresseusement, puis se souvint de la nuit précédente, dans tous les détails. Elle ouvrit les yeux. La chambre était vide.

Stupéfaite, elle pensa immédiatement que Derek s'était emparé du livre. De son livre ! Elle regarda sur le bureau. Il n'y était plus. Se glissant au bas du lit, elle se mit à chercher sous la table de travail. Après tout, il était peut-être tombé. Rien !

— C'est cela que vous cherchez ?

Alexandra se tourna d'un bond et aperçut Derek, sur le seuil. Il portait un costume qu'elle ne lui avait jamais vu. Mais elle ne s'y attarda pas : son regard se fixa sur le livre qu'il tenait à la main. Quel soulagement. Il ne l'avait pas pris, ne s'était pas moqué d'elle...

C'est alors qu'elle remarqua son sourire et nota que ce n'était pas son visage qu'il contemplait. Alexa se précipita dans le lit et remonta le drap, embarrassée et furieuse.

— Vous êtes insupportable, Derek !

Il s'approcha, jetant au passage le livre sur le bureau.

— Que vous arrive-t-il ? Vous voilà bien prude, tout à coup. La nuit dernière...

— La nuit dernière...

Elle aurait voulu affirmer que cette nuit avait été une erreur, mais elle ne sut comment s'exprimer.

— Cette nuit a été merveilleuse, dit-il. Mais il faut que nous partions. Soyez gentille et habillez-vous.

— Sortez !

— Je ne discute jamais avec une jolie femme dévêtue.

Comment devait-elle agir maintenant ? Prétendre que rien ne s'était passé ? D'autres auraient profité de la situation. Oui, mais Alexandra n'était pas comme les autres, et Derek le savait.

Une douche rapide, un coup de peigne, puis elle enfila sa robe. Celle-ci était nettement moins fraîche que la veille, mais Alexa n'avait pas le temps de faire des emplettes. La veille, elle avait noté que la galerie marchande de l'hôtel ouvrait à dix heures, et il n'était que neuf heures trente. De plus, Derek semblait anxieux de partir au plus vite. Ce n'était pas une nuit d'amour qui le ferait changer d'avis.

On frappa à la porte de communication.

— Je peux entrer ?

Il avait noué un mouchoir sur une brosse à dents et l'agitait comme un drapeau blanc en signe d'armistice. Alexa ne put s'empêcher de rire.

— Entrez. Pourquoi avoir frappé ? D'habitude...

Il déposa une énorme boîte sur le lit.

— Ouvrez-la.

Elle la regarda sans comprendre.

— C'est pour moi ?

Il hocha la tête et elle fit glisser le couvercle. A l'intérieur, elle découvrit une robe bain de soleil d'un rouge pourpre et une chemise de nuit bleue presque transparente. Comme elle ne bougeait pas, Derek prit la chemise et la tint devant elle.

— Je savais que le bleu vous allait mieux.

Pourquoi cet achat ? Et surtout, comment avait-il payé ?

— Je croyais que vous n'aviez pas d'argent sur vous, dit-elle en replaçant le vêtement dans la boîte.

— Pendant que vous faisiez les boutiques, hier, je me suis arrêté à la banque et...

— Vous l'avez attaquée ?

— Rien d'aussi fantastique, répondit-il en lui tendant la robe.

Alexa la prit, tout en attendant sa réponse, farfelue sans aucun doute.

— J'ai retiré du liquide à l'aide de ma carte de crédit.

— Quelle carte ? Hier vous n'en aviez pas.

— Figurez-vous que je l'ai retrouvée dans la poche. Curieux, non ?

— Très.

Elle préféra ne pas insister, le soupçonnant déjà d'une nouvelle malhonnêteté. Etrangement, elle n'arrivait pas à croire que cet homme, toujours à la limite de la légalité, soit celui qui déclenchait cette douce musique dans son cœur chaque fois qu'il la regardait. Son prince charmant ! Quel prince ? Tout juste capable de lui offrir un trajet en bus vers une université poussiéreuse. Il n'y avait pas d'avenir dans leur liaison. Pas pour elle, et probablement pas pour lui non plus. Pourquoi, dans ce cas, continuer à nourrir des illusions ?

— Et comment vous êtes-vous procuré ceci ? reprit-elle en montrant la boîte et la robe.

— Je les ai achetés. C'est une coutume locale. On entre dans un magasin, on choisit…

— Ne me racontez pas d'histoire, Derek ! Les magasins sont encore fermés à cette heure.

— Pas pour moi.

Alexandra ferma les yeux et soupira.

— Ne me dites pas que vous avez forcé la porte d'une des boutiques de l'hôtel !

Il éclata de rire et se laissa tomber sur le lit.

— Je n'ai jamais vu quelqu'un s'inquiéter autant que vous.

Il ne devait sans doute pas rester assez longtemps avec une femme pour la voir s'inquiéter, songea-t-elle.

— Je n'ai pas cambriolé un magasin, ajouta-t-il. J'ai persuadé la vendeuse d'ouvrir un peu plus tôt.

Evidemment, si c'était une vendeuse, tout s'expliquait…

— Ne me remerciez surtout pas ! s'écria-t-il en levant la main. Vous voir porter ces vêtements sera ma récompense.

Effectivement, elle aurait pu avoir un mot gentil... Alexa s'en voulut.

— Merci. Je suppose que vous désirez que je mette la robe.

— Oh, je pensais surtout à la petite chemise de nuit affriolante.

Il caressa du plat de la main le fin tissu.

— Oubliez-la ! répliqua-t-elle en la mettant hors de portée.

— Voyons, Alexandra, ne soyez pas ingrate.

— Si vous pensez que vous pouvez m'acheter avec ceci...

Derek posa une main sur son épaule.

— Vous êtes encore plus belle lorsque vous vous fâchez !

— Oh, cela suffit, Derek !

Elle essaya de se dégager mais il serra un peu plus fort.

— Cessez d'essayer de me flatter. Pour votre gouverne, je ne suis pas une de ces femmes au regard chaviré sur laquelle vous pouvez exercer vos dons magiques.

— Vous appelez cela de la magie ?

Et, en plus, il se moquait ouvertement d'elle !

— C'est plutôt de la magie noire, de la sorcellerie. Vous êtes le diable personnifié !

— On me l'a déjà dit, reconnut-il en toute simplicité. Mais la dame qui a partagé ma couche, hier soir, ne m'appelait pas ainsi.

— C'est parce que, justement, c'était une dame !

— Je n'ai jamais dit le contraire.

Comment se disputer avec lui ? Il abondait toujours en son sens. Cette fois, elle parvint à lui faire lâcher prise.

— Où allons-nous, maintenant ?

— A Charlotte, en Caroline du Nord.

Alexa soupira.

— Pourquoi feu Siméon A. Montaigne a-t-il choisi de partager sa bibliothèque ? S'il n'avait fait qu'un legs...

— Changez-vous pendant que je retiens des places sur le prochain vol.

Il lui indiqua la robe rouge.

Alexa suivit son regard, puis lui montra le tailleur blanc qui reposait sur le dossier d'une chaise. Derek s'en fut immédiatement dans sa chambre, et en revint avec une valise.

— Vous pensez vraiment à tout ! murmura-t-elle en secouant la tête.

— J'essaye, Alexandra, j'essaye. Mon costume s'y trouve déjà, mais il y a assez de place pour vos affaires, si vous abandonnez la chemise de nuit rose.

Elle s'empressa de la glisser dans la valise, le défiant du regard, ce qui n'eut pour effet que de le faire rire.

Après que Derek eut payé la note de l'hôtel, ils prirent un taxi pour se rendre à l'aéroport. Leur vol, qui devait s'effectuer dans un tout petit avion, fut retardé par les conditions atmosphériques. Il y avait en effet un brouillard épais sur la piste.

— Quelle chance ! grommela Alexa, désolée à l'idée d'être bloquée à l'aéroport pendant des heures. Elle était impatiente de poursuivre leur chasse au trésor. Et puis, n'ayant pas pris de petit déjeuner, elle avait faim.

Elle adressa un regard désolé à Derek.

— Vous avez faim ?

— Je suis affamée, lui avoua-t-elle, se souvenant qu'elle n'avait pas non plus dîné la veille.

— Moi aussi.

Il avait une façon de l'observer qui la rendit nerveuse tout en la troublant.

Pourtant, il n'était pas question de se donner de nouveau à lui. Pour l'instant, Derek n'était pas certain de son pouvoir sur elle, mais une autre nuit dans ses bras ne ferait que lui donner plus d'assurance. Alexa devait se persuader qu'il n'y avait pas d'avenir pour elle dans cette liaison, que ce qui était arrivé la nuit précédente n'était qu'un accident. Dorénavant, se promit-elle, elle se tiendrait sur ses gardes.

— Vous m'offrez un petit déjeuner ? lui demanda-t-elle.

— Bien sûr !

Il passa un bras autour de ses épaules et ramassa la valise de sa main libre.

Le petit déjeuner servi à l'aéroport était fort peu appétissant. Des œufs mal cuits, un café sans goût.

Alexa contempla son plat d'un air suspicieux. Mais comme elle mourait de faim elle attaqua ses œufs avec courage, tout en observant Derek, du coin de l'œil.

La nuit passée avait-elle compté pour lui ? Elle haussa imperceptiblement les épaules. Elle se comportait comme une adolescente. Une femme expérimentée aurait dû savoir que malgré la tendresse qu'il lui avait manifestée, l'expérience avait été seulement agréable pour lui, rien de plus. A peine un interlude dans la vie désordonnée qu'il menait habituellement. Pourquoi espérer qu'il en soit autrement ? Qu'attendre d'un aventurier tel que lui ? Rien, bien sûr.

Un haut-parleur diffusa soudain une annonce : le brouillard se levait, l'avion ne tarderait pas à partir.

Derek se leva d'un bond et lui tint sa chaise. Qui qu'il soit, il avait au moins une qualité, la politesse. Il en avait beaucoup d'autres, des qualités très douces que la nuit lui avait permis de goûter. Alexandra rougit légèrement, puis devint écarlate lorsque Derek prit sa main.

— Que se passe-t-il ? lui demanda-t-elle lorsqu'il débarquèrent à Charlotte.

Elle avait remarqué qu'il venait de regarder pardessus son épaule pour la deuxième fois en quelques secondes.

— Rien, l'assura-t-il en la poussant rapidement vers la station de taxis.

— Si tout va bien, pourquoi courons-nous ?

Derek l'aida à monter dans le premier taxi de la file et y grimpa à son tour.

— Dix dollars de pourboire si vous roulez vite, évitez qu'on nous suive et nous déposez au Victory Hotel dans les plus brefs délais, dit-il au jeune chauffeur.

Alexa ne sut si c'était le pourboire ou le plaisir d'une course inhabituelle qui illumina le visage endormi du garçon. Mais il démarra sur les chapeaux de roues avant même que Derek ait fini de parler.

— Derek, l'appela-t-elle en le tirant par le bras, Que se passe-t-il ?

— Prenez les petites rues, ordonna-t-il au conducteur avant de se tourner vers elle.

Il semblait très calme.

— Je suis certain qu'en passant par des rues tranquilles vous aurez un aperçu plus agréable de Charlotte.

Le taxi prit un virage en faisant hurler ses pneus et s'engagea dans un étroit boyau.

— La visite des passages sordides n'est pas la façon la plus sympathique de connaître une ville ! protesta Alexa, furieuse. Ecoutez-moi bien, Derek Montaigne ! Vous ne cessez de vous plaindre de ne pas avoir ma confiance mais passez votre temps à me mentir !

— Je ne veux pas vous inquiéter, grommela-t-il.

— Mon appartement a été cambriolé deux fois par un inconnu à moitié fou, j'ai parcouru la troisième avenue au milieu de la nuit, y ai reçu des conseils d'une fille de joie, dormi dans trois lits différents en deux jours, et vous ne voulez pas m'inquiéter ! Mais pour qui me prenez-vous ? Je ne suis pas une petite chose fragile qui a besoin d'être protégée !

— C'est vrai, admit-il en lui caressant la joue. C'est mon côté sudiste qui...

— Au diable vos origines sudistes ! Dites-moi ce qui ne va pas !

— Je crois qu'on nous suit.

Alexa le dévisagea, incrédule, essayant de deviner s'il était sérieux. Elle n'avait rien remarqué. Mais, de toute façon, ce genre de situation ne lui étant pas coutumière, qu'aurait-elle pu voir ? Et quelle raison aurait-il eu de mentir à ce sujet ?

— Qui ? demanda-t-elle tout bas.

— Je ne sais pas. Je n'ai pas réussi à apercevoir son visage. Mais un costume de serge bleu se trouve derrière nous chaque fois que je me retourne. Il était là quand nous avons acheté les billets, se trouvait au restaurant lorsque nous prenions le petit déjeuner, et je l'ai vu dans l'avion.

— C'est peut-être une coïncidence.

— Peut-être.

A son ton, Alexa devina qu'il n'y croyait guère. L'inquiétude la gagna. Les tours et détours qu'effectuait le taxi menaçaient de la rendre malade.

— Que vous a-t-elle dit ? lui demanda brusquement Derek.

— Qui, elle ? s'enquit Alexa, sans comprendre.

— La fille de joie. Vous a-t-elle vraiment donné des conseils ? Lesquels ?

L'idée semblait énormément l'amuser. Alexa n'y vit rien de drôle.

— Oui, grommela-t-elle en se détournant.

Grossière erreur. Les immeubles qui défilaient à toute vitesse ne firent qu'accentuer son mal au cœur.

— Que vous a-t-elle dit ? insista Derek.

— Que je ne trouverais jamais un homme en m'habillant de la sorte.

— Elle avait tort, murmura-t-il.

Puis il reporta son attention sur la manière de conduire du chauffeur. Elle haussa les épaules. Il fallait absolument qu'elle s'arrête de donner un sens à ses moindres propos. Le fait qu'il ne se soit pas emparé du livre lui offrait bien un faible espoir, mais cela n'avait peut-être pas grande signification. Derek devait sans doute la trouver agréable, sans plus. Il ne devait pas voir plus loin que le trésor. Celui-ci trouvé, ce serait probablement la fin de l'aventure, chacun pour soi.

Ils arrivèrent enfin en vue de l'hôtel, au grand soulagement d'Alexa. Derek, en revanche, semblait en pleine forme. Les poursuites en voiture paraissaient terriblement l'amuser.

A la réception, Alexandra insista de nouveau pour qu'ils aient des chambres séparées. Derek secoua la tête mais ne protesta pas. Il devait probablement se sentir très sûr de lui et de son charme.

Comme elle s'apprêtait à suivre le chasseur, il lui prit le bras.

— Laissez-le monter la valise. Nous avons du travail.

Trop fatiguée pour travailler, Alexa faillit protester mais elle se ravisa. Derek avait raison. De plus, elle venait de décider de ne plus le perdre de vue, persuadée que s'il s'éloignait, ce serait avec son livre, et pour ne jamais revenir.

Ils s'engouffrèrent dans un taxi et Derek donna au chauffeur l'adresse de la bibliothèque.

Qu'allait-il inventer, cette fois? se demanda-t-elle. Il se contenta de reprendre la même histoire, qui marcha à merveille à nouveau. La bibliothécaire succomba à son charme.

Pendant plus d'une heure, la jeune femme s'efforça d'ouvrir les caisses, se maculant de poussière. Au moment où elle se croyait au paroxysme de l'énervement, Derek passa la tête par l'entrebâillement de la porte.

— Où en êtes-vous ? lui demanda-t-il.

— Je cherche les livres ! Et vous, comment avez-vous occupé votre temps ?

Elle n'aurait pas dû poser cette question, il allait la croire jalouse. En fait, Alexandra lui en voulait surtout de lui laisser tout le travail ingrat.

— J'essayais de me débarrasser d'une femme trop entreprenante, répondit-il simplement.

— Si vous ne lui aviez pas fait de l'œil...

— Nous n'aurions pas eu accès à ces caisses ! Bon, assez bavardé. Où en sommes-nous ?

Nous ? Il n'avait encore rien fait !

Alexa lui passa le pied-de-biche.

— Il reste ces deux caisses à examiner.

Derek ôta sa veste et se mit aussitôt au travail.

— J'ai besoin de votre livre, déclara-t-elle soudain.

— Vous l'aurez ce soir, dès que j'aurai achevé ceci.

Elle fronça les sourcils, surprise. Il avait accepté beaucoup trop vite. Que lui préparait-il ?

Chapitre 9

Des heures plus tard, assise dans un taxi, Alexandra se demandait pourquoi Derek semblait si joyeux.

— Nous n'avons rien trouvé, lui fit-elle remarquer, morose.

— Je sais.

— Dans ce cas, pourquoi sourire ?

— Parce que nous nous approchons du but.

Quel optimisme ! Certes, cette conception des choses lui allait bien. Les hommes comme lui n'occupaient pas des emplois stables, ne luttaient pas pour vivre. Ils étaient joueurs de naissance et s'attendaient à chaque instant à faire sauter la banque, convaincus que les dieux leur étaient favorables. Alexa n'arrivait pas à comprendre cette philosophie.

Et pourtant... Elle devait admettre que cette quête devenait chaque jour plus excitante. Retrouver les morceaux de la carte qui manquait, c'était comme reconstituer un puzzle, mais sur une grande échelle.

— Dans une comédie musicale que j'ai vue à

Broadway, il y avait une chanson qui vous irait bien. Elle parlait d'un homme d'un optimisme à toute épreuve.

— Mais il ne l'était qu'en amour, nota-t-il.

— Vous l'avez vue ? s'étonna-t-elle, convaincue qu'il n'était pas de ceux qui appréciaient les comédies musicales.

— Oui. Je l'ai adorée.

— Vous aimez sortir ? Je vous prenais pour quelqu'un de trop occupé pour consacrer du temps à de tels loisirs.

— Ne croyez pas cela. Il m'arrive de ne rien avoir à faire pendant des semaines.

Alexa le regarda, pensive. Ils avaient au moins cet amour de la musique en commun.

Ils partageaient bien d'autres choses ensemble, se dit-elle. Le souvenir de la nuit passée dans ses bras occupait encore largement son esprit.

— Lorsque nous serons à l'hôtel, je crois que je vais dormir vingt-quatre heures.

— J'ai bien peur que ce soit impossible. Nous allons directement à l'aéroport.

Alexandra se tourna vers Derek, stupéfaite.

— Mais pourquoi ?

— Pour surprendre un éventuel suiveur, répondit-il en baissant la voix.

Voilà pourquoi il avait insisté pour qu'ils ne retiennent qu'une chambre ! Il n'avait jamais eu l'intention de rester à l'hôtel.

— Ecoutez, Derek, rien ne prouve que nous sommes suivis, et de toute façon, nous devons retourner à l'hôtel.

— Alexa ! Essaieriez-vous de m'attirer dans votre lit ?

— Je ne partagerais mon lit pour rien au monde. J'ai bien trop sommeil. Et la valise ?

Il tapota la poche contenant son livre.

— Nous avons l'essentiel.

— Et ma robe ? Je l'aimais bien, moi ! Savez-vous combien m'a coûté mon tailleur blanc ?

— Je vous en achèterai un autre.

— Je n'en veux pas d'autre ! Je veux celui-ci.

— Dans ce cas, nous le récupérerons... un jour. L'hôtel gardera notre valise jusqu'à ce que nous passions régler la note.

— Et mes chemises de nuit ?

— Vous n'en aurez pas besoin. Plus nous nous dirigerons vers le sud, plus il fera chaud.

Alexandra laissa échapper un soupir excédé et croisa les bras sur sa poitrine. Mon Dieu, que cet homme était agaçant !

— Ne parlons plus lingerie, lui lança-t-elle. Contentez-vous de nous conduire à notre prochaine destination.

Il indiqua le chauffeur d'un petit geste de la main.

— Je m'en suis déjà occupé.

Le nom de la ville était Hotlands, et dans Hotlands il y avait hot, c'est-à-dire chaud. Voilà au moins une ville qui avait mérité son nom, se dit Alexa en s'éventant de la main. Une véritable fournaise !

Ils se rendirent immédiatement à la bibliothèque locale. Un minuscule bâtiment. C'était fermé.

— Déjà ! s'exclama-t-elle. Mais il n'est pourtant pas si tard !

Derek lui prit la main. Un instant, elle crut que c'était pour la réconforter, mais il se contenta de lui montrer sa montre-bracelet.

— Il est plus de cinq heures. Seriez-vous en train de perdre la notion du temps ?

— Pas du tout ! Mais j'ai faim et je suis épuisée.

Ses yeux parcoururent l'unique rue de ce gros bourg.

— Croyez-vous qu'il y ait un bon restaurant dans les parages ?

Derek lui prit le bras.

— Il y a un restaurant. Quant à savoir qu'il sera bon... Nous verrons bien.

Dès qu'ils pénétrèrent dans le petit café, Alexa fut persuadée que la bonne chère serait pour un autre jour. Elle avait tort. La cuisine était simple mais délicieuse. Agréablement surprise, elle se détendit et se régala. La nourriture lui rappelait celle que l'on servait chez ses parents.

Un instant, elle se permit même de rêvasser, se remémorant son enfance, cette époque où sa vie était prise en charge par son père et sa mère.

Ils lui manquèrent soudain.

— Eh bien ? demanda Derek.

— C'est très bon.

La petite serveuse en uniforme rose sourit. Se penchant, elle présenta un pot de café à Alexandra.

— En voulez-vous encore un peu ?

— Oui, merci.

— C'est votre troisième tasse, lui fit remarquer

Derek. Pour quelqu'un d'épuisé... Toute cette caféine va terriblement vous énerver.

Il y avait dans son sourire comme une invite.

— Le café est le dernier de mes problèmes, répondit sèchement Alexa en ajoutant un peu de lait dans la tasse.

Derek lui prit la main.

— Et quel est votre plus grand problème ?

— Vous tenir à distance !

Jamais elle ne s'était montrée aussi peu courtoise avec un homme. Mais la journée avait été dure. En fait, chaque heure qui s'était écoulée depuis leur rencontre l'avait été.

Il rit et caressa légèrement sa main avant de porter sa tasse à ses lèvres.

— Je sais exactement à quelle distance je dois me tenir.

— Il semble que nos opinions divergent à ce sujet.

— Ne pourrions-nous négocier ?

— Certainement pas !

Pour prouver son indépendance, Alexa se leva et tendit sa carte de crédit à la serveuse.

— Je suis désolée, nous acceptons seulement le liquide ici, répondit la jeune femme.

— Mais je n'en ai pas ! protesta Alexa. Vous n'allez pas me dire qu'à notre époque...

Derek s'interposa.

— Que se passe-t-il ?

— Ils n'acceptent pas les cartes de crédit !

Derek hocha la tête, nullement surpris, et sortit son portefeuille.

— C'est beaucoup trop impersonnel, n'est-ce pas ? dit-il en souriant à la serveuse.

Sur le trottoir, Alexa se tourna vers lui.

— Je n'aurais jamais pensé que des billets de banque puissent être considérés comme ayant une personnalité.

— Peut-être pas, mais ils sont en tout cas familiers.

— Les cartes de crédits sont employées depuis des années, insista-t-elle.

— Pas ici. Ces gens sont simples et préfèrent vivre simplement.

Il parlait d'expérience, cela se sentait. Elle se demanda à quoi avait ressemblé son enfance. Comment Derek avait-il réagi à la mort de ses parents, quand il était allé vivre chez sa tante Linda ? Mais cette histoire était-elle vraie ? Il mentait si souvent...

— Je me demande pourquoi cet homme a légué des livres à une ville pareille.

Le bibliothécaire de ce coin perdu était-il à même d'apprécier ce don ? Elle en douta.

Derek sourit.

— C'était peut-être un excentrique. Il est peut-être passé un jour par ici et a eu le coup de foudre. Qui sait ?

Il haussa les épaules et passa un bras autour de ses épaules.

— Il serait temps de trouver une chambre pour la nuit.

Sur ce, il arrêta un homme dans la rue et lui demanda où il y avait un hôtel.

— De l'autre côté de la ville, répondit l'homme en

dévisageant Alexandra. Mais il y a un motel beaucoup plus près.

Derek le remercia, prit la main d'Alexa et se dirigea vers l'endroit indiqué.

— Il doit croire que vous êtes ma maîtresse.

— Vraiment ?

— Ne prenez pas cet air pincé. Etre ma maîtresse vous paraîtrait si terrible ?

Elle pénétra dans le bureau du motel sans même le regarder.

— Oui, déclara-t-elle avec hauteur.

La façon dont il remit le bras autour de ses épaules lui indiqua qu'il ne croyait guère à ses protestations.

— Nous voudrions une chambre, dit-il au réceptionniste.

L'homme leur tournait le dos, suivant un match de base-ball à la télévision.

— Deux chambres, rectifia Alexandra.

— Il ne m'en reste qu'une, grommela le bonhomme sans quitter l'écran des yeux.

Le match fut interrompu pour laisser place à de la publicité et il se tourna enfin vers eux.

— Pas de bagages ?

— Nous les avons perdus, annonça Alexandra sans sourciller.

— Vous savez, valises ou pas... Pour moi, c'est du pareil au même. Ma femme, en revanche, n'accepte jamais de voyageurs sans bagages. Moi, je ne m'occupe pas des affaires des autres. La chambre qui me reste est très confortable. Il y a même la télé. Mais je ne crois pas que vous aurez envie de la regarder ce soir...

Alexa, rendue furieuse par le sous-entendu grossier, agrippa le bras de Derek.

— Allons-nous-en !

— Du calme, ma petite dame, je ne faisais que plaisanter.

Le propriétaire du motel tendit un stylo à Derek pour qu'il signe le registre.

— Tout ira bien, murmura celui-ci à Alexa. Merci, monsieur... ajouta-t-il à l'adresse du vieil homme, après avoir apposé son nom.

— Chubbs. Et merci d'avoir choisi mon établissement, monsieur...

Il se pencha sur le registre.

— Smyth.

Lorsqu'ils eurent quitté le bureau, Alexa se tourna vers Derek, folle de rage.

— Smith ! Vous ne pouviez trouver mieux ?

— De quoi vous plaignez-vous ? J'ai fait un effort d'originalité en l'écrivant avec un Y. De toute façon, même si j'avais choisi un nom ronflant, Abercrombée, par exemple, ce brave homme n'aurait pas été dupe. Il est persuadé que nous sommes deux amants à la recherche d'un coin tranquille pour faire l'amour. De plus, comment nous retrouver avec un nom pareil ? Il existe des millions de Smith ou Smyth dans ce pays.

— Je ne comprends pas.

— Alexa ! Je commence à désespérer de vous. On nous suit peut-être.

Derek ouvrit la porte de la chambre et s'effaça pour laisser passer Alexa.

— Quelle horrible chambre ! Sommes-nous obligés de dormir ici ?

— Il ne s'agit que d'une nuit, nous n'en mourrons pas.

Le mobilier avait certainement connu des jours meilleurs. Derek sourit.

— Evidemment, ce n'est pas le Ritz. Mais ce n'est pas si terrible, après tout. Où est passé votre esprit aventureux ?

— Je l'ai laissé à New York, où je devrais me trouver en ce moment.

Elle se laissa tomber sur le lit en soupirant et le sommier émit un long couinement.

— Ce lit a dû en voir de belles, murmura Derek.

— Je n'en doute pas un instant. Où allez-vous coucher ?

— Mais avec vous ! répondit-il, apparemment surpris par la question.

Alexa secoua la tête avec détermination.

— Nous dormirons peut-être dans la même chambre, mais pas dans le même lit !

— Alexandra, soyez adulte, voyons !

— Mais je le suis. Il n'y a que les enfants qui se soumettent à leurs désirs.

— Pourtant, la nuit dernière...

— Vous souvenez-vous de ce qui s'est passé la nuit dernière ? lui demanda-t-elle de sa voix la plus douce.

— Jusqu'au moindre détail, murmura-t-il en s'avançant vers elle.

Alexa lui jeta un oreiller à la tête.

— C'est parfait. Il faudra que cela reste des

souvenirs car je n'ai pas l'intention de renouveler l'expérience. Vous dormirez sur la chaise longue.

Elle désigna une méridienne de rotin toute défoncée.

— Mais c'est un véritable instrument de torture ! protesta-t-il.

— Cela vous donnera une idée de l'enfer où vous ne manquerez pas d'aboutir ! Maintenant, passez-moi votre livre.

Derek tira un volume plat de sa poche et le lui tendit. L'ayant posé sur le lit, Alexa sortit le sien de son sac. Elle ouvrit les deux ouvrages et se mit à étudier les chiffres crayonnés à l'intérieur des couvertures. Rien, une succession de nombres sans signification. Si Derek ne lui avait pas parlé d'un code, elle aurait pris cela pour un vain gribouillage.

Derek s'assit à ses côtés.

— Vous y comprenez quelque chose ?

— Non, ce ne sont que des chiffres.

— Ils représentent sans doute des lettres.

— D'accord, mais lesquelles ? Il y a des millions de possibilités.

— Un des livres contient peut-être la clef du code.

— Sans aucun doute.

— Que vous arrive-t-il ? Pourquoi cet air sombre ?

— Je voudrais dormir.

— Il est bien tôt, pourtant.

— J'ai sommeil !

Derek consulta sa montre.

— Alexa, voyons, il est à peine huit heures trente. Savez-vous que vous me décevez ?

Alexandra préféra ne pas répondre. Chaque fois

qu'elle avait discuté avec lui, il avait eu le dessus. Elle s'allongea et ferma les yeux.

— J'en ai autant à votre service, murmura-t-elle.

Le bruit de la porte qu'on ouvrait ! Elle se dressa d'un bond.

— Où allez-vous ?

— Dehors. Je ne pourrai jamais dormir si tôt.

— Auriez-vous l'intention de vous introduire frauduleusement dans la bibliothèque ?

Elle avait lancé cela comme une plaisanterie, mais devant son air sérieux, elle comprit qu'elle venait de toucher juste. Affolée, Alexa se leva.

— Vous n'allez pas faire une chose pareille ?

— Nous n'avons pas beaucoup de temps, Alexa.

— Mais si on nous surprend, nous en aurons à ne savoir qu'en faire au pénitencier !

— Comme vous êtes pessimiste. Nous ne serons pas pris.

— Nous ?

— Ne sommes-nous pas associés ? Si nous partageons les profits, il doit en être de même pour les risques. D'ailleurs, maintenant que j'ai pu étudier votre exemplaire...

Il se toucha la tempe.

— J'ai une mémoire d'éléphant.

Alexa soupira. Que répondre ? S'il disait vrai, il n'avait plus besoin d'elle. Elle devait l'accompagner.

Résignée, elle glissa son livre dans son sac. Derek reprit aussitôt le sien et le mit dans sa poche.

— En route ! lança-t-il.

Chapitre 10

— Je continue à penser que nous ne devrions pas forcer cette porte, chuchota Alexa à l'oreille de Derek.

Elle tourna vivement la tête et scruta l'allée sombre par laquelle ils étaient venus jusqu'à la porte de service de la bibliothèque. Personne. L'air était poisseux, étouffant.

— Vous pouvez retourner au motel si vous le voulez, grommela-t-il par-dessus son épaule.

— Jamais de la vie !

Alexa avait l'impression que son cœur hoquetait, qu'il n'allait pas tarder à cesser de battre. Pour se rassurer, elle se dit que leur équipée nocturne serait brève. Lorsqu'une situation la rendait anxieuse, elle essayait toujours de se projeter dans le futur. C'était, par exemple, sa façon d'affronter les rendez-vous chez le dentiste. Cette fois-ci, malheureusement, ce stratagème ne produisit aucun effet.

Cessant de surveiller l'allée, Alexandra se pencha vers Derek pour voir où il en était. Comme par magie, la porte s'ouvrit sans bruit.

— Etes-vous certain de ne pas être celui qui a forcé la porte de mon appartement ? Après tout, il ne devait pas y avoir beaucoup de gens capables de crocheter ainsi une serrure.

— J'en suis sûr, murmura-t-il en lui faisant signe de se tenir tranquille.

Alexandra le suivit à l'intérieur en faisant de tous petits pas pour ne pas se prendre les pieds dans un obstacle. La lumière d'un réverbère éclairait faiblement le corridor dans lequel ils se trouvaient.

Elle agrippa Derek par la manche.

— Qu'allons-nous faire ?

— Il suffit de chercher un réduit contenant des caisses.

Comme cela semblait simple. Que se passerait-il s'il y avait un veilleur de nuit ? Et s'ils se faisaient surprendre ? Comment expliquer cette visite nocturne à sa famille ? Ou à Miss Kreps ? Elle perdrait son emploi et sa réputation, elle couvrirait de honte ses proches. Et tout cela à cause d'un livre qu'elle avait emprunté sans autorisation. Jamais...

Derek prit son bras.

— Quel est ce bruit ? demanda-t-il à voix basse.

— Ce ne peut être mon cœur, il a cessé de battre quand vous avez ouvert la porte.

Derek la plaqua au mur d'un geste instinctif. Il se plaça ensuite devant elle, comme pour la protéger. Du coup, il remonta de plusieurs crans dans l'estime de la jeune femme. Puis elle se dit qu'elle devenait folle. Ils étaient sur le point d'être arrêtés et elle perdait son temps à admirer son esprit chevaleresque !

Le bruit se rapprocha. Ils retinrent leur souffle. Un miaulement ! Alexa ferma les yeux et dit rapidement une prière. Puis elle se demanda si le chat appartenait au veilleur de nuit.

Mais personne ne vint. Il n'y avait pas de garde. Elle aurait dû y penser plus tôt. Une petite ville comme Hotlands n'avait pas à craindre les voleurs. Elle soupira. Ils allaient peut-être commettre le premier cambriolage dans l'histoire de ce bourg tranquille.

— Et maintenant ? chuchota-t-elle.

— Nous nous mettons au travail.

— Mais je ne vois rien !

Il lui glissa dans la main ce qui lui sembla être un crayon.

— Que voulez-vous que j'en fasse ? C'est pour signer notre crime ?

Sans un mot, Derek appuya sur une des extrémités de l'instrument et un petit faisceau de lumière jaillit. Il s'agissait d'une lampe de poche miniature. Elle secoua la tête, éberluée. Décidément, Derek pensait à tout. Cette idée aurait dû la rassurer, mais ce ne fut pas le cas. Comment vivre sans peur, dorénavant, en sachant qu'il était si aisé de pénétrer chez autrui ?

Les caisses étaient ouvertes, comme si quelqu'un les avait préparées pour pouvoir les inventorier le lendemain matin. Ils se mirent à examiner les livres sans plus attendre, travaillant à une allure record. La peur, découvrit Alexa, donnait des ailes. Le fait que le legs soit moins important que dans les autres bibliothèques leur facilita également la tâche. Il n'y avait que deux caisses.

Mais ils ne trouvèrent rien. En remettant le dernier volume en place, la jeune femme sentit son cœur se serrer. Après avoir couru tant de danger, elle aurait aimé être récompensée par la découverte d'un autre livre.

Non, se dit-elle en soupirant, la récompense c'est de ne pas avoir été prise la main dans le sac.

Le chat essaya de les suivre dans l'allée, lorsqu'ils sortirent, mais Derek parvint à refermer la porte sans qu'il ne s'échappe. Il n'aurait plus manqué qu'un chat noir les suive jusqu'au motel! Alexandra n'était pas superstitieuse, mais il y avait des jours...

— Nous ne l'avons peut-être pas vu, murmura-t-elle. Après tout, il faisait sombre et...

— Nous avons examiné chaque couverture très soigneusement. Il n'y avait pas de livre recélant un code.

Evidemment, il avait encore une fois raison. Malgré l'obscurité, Alexa avait étudié chaque ouvrage de très près, tout comme lui.

Découragée, elle lui rendit sa petite lampe de poche.

— Ne vous est-il pas venu à l'esprit que les deux autres livres pourraient avoir été détruits?

— Jamais!

— Dans ce cas vous êtes beaucoup moins malin que je le pensais.

Son désappointement était tel qu'il fallait qu'elle s'en prenne à lui.

— Non, je suis simplement encore plus optimiste que vous ne le croyiez. Et vous beaucoup plus pessimiste. Qu'est devenue votre belle confiance. Et vos rêves ?

Ils avaient atteint la rue et Derek se tourna vers elle, le regard moqueur.

— Mes rêves sommeillent. Ce que je devrais faire depuis longtemps.

Il éclata de rire et passa un bras autour de sa taille.

— Allons nous coucher. Vous êtes épuisée. La journée a été longue.

Elle eut envie de protester, n'aimant pas son ton protecteur, mais elle n'en eut pas la force.

Lorsqu'ils arrivèrent au motel, Alexandra avait même du mal à respirer.

— Commencez à vous préparer pour la nuit, déclara Derek en lui donnant la clef de leur chambre. J'ai aperçu un distributeur automatique de boissons dans le bureau de la réception et je vais nous chercher à boire.

Alexa ne désirait plus qu'une chose ; se coucher et dormir. Elle se dirigea d'un pas mal assuré vers la porte de leur chalet et poussa la clef dans la serrure. La porte s'ouvrit avant qu'elle ait le temps de tourner la clef. Surprise, mais nullement inquiète, elle entra dans la chambre. La porte se referma derrière elle sans bruit.

Il ne lui fallut pas longtemps pour comprendre pourquoi.

Un bras puissant passa autour de son cou, le serrant à l'étouffer. Un objet métallique froid et dur se posa sur sa tempe.

— Où est-il ? demanda une voix basse et rauque.

— Quoi ? balbutia Alexa, saisie d'horreur.

— Ne faites pas votre maligne ! gronda l'homme qui la tenait.

— Je n'essaye pas de jouer à la plus fine, mais je ne comprends pas de quoi vous parlez.

Elle se surprit elle-même d'être parvenue à formuler une telle réplique. Il fallait qu'elle gagne du temps. Au diable Derek et ses envies de boissons fraîches ! Pourquoi avait-il choisi ce moment pour avoir soif ?

— Le livre ? où est le livre ?

La voix s'était faite impatiente. Une voix méchante, sans pitié. Alexa en eut la chair de poule.

— Je ne les ai pas ! cria-t-elle.

— Les ?

Quelle gourde ! Jusqu'à ce qu'elle commette cette erreur, l'intrus devait penser qu'ils ne possédaient qu'un seul livre.

— Je ne pense pas clairement lorsque l'on appuie un revolver sur ma tempe, protesta-t-elle.

Elle s'émerveilla. Jamais elle ne se serait imaginée si courageuse. Ou était-ce de la stupidité ?

— Vous m'avez fait si peur que mes idées sont toutes embrouillées.

Elle essaya de se dégager sans en avoir l'air. L'homme ne fit que serrer un peu plus.

— Il faudra que vous pensiez à la pointe de mon revolver, ou vous ne penserez plus jamais !

Il n'avait rien d'un plaisantin. A la façon dont il la tenait, elle devina qu'il n'était pas très grand. Mais même un nain était dangereux avec une arme à la main. Mon Dieu, implora-t-elle, donnez-moi une idée !

— Alors ?

Il appuya le canon de l'arme plus fort.

— Nous les avons laissés à la station des autocars. A la consigne.

Merci mon Dieu ! Un auteur de roman policier n'aurait certainement pas trouvé mieux.

Son triomphe fut de courte durée. L'homme se mit à tant serrer qu'elle suffoqua. Alexa se débattit, oubliant la menace du revolver. Il fallait absolument qu'elle respire ! Progressivement, il relâcha sa prise, lui laissant enfin avaler une bouffée d'air.

— Il n'y a pas d'arrêt de bus dans ce trou perdu.

— Mais je n'ai jamais dit que c'était ici ! Nous les avons laissés à Charlotte.

— Vous n'avez pas eu le temps.

Alexa frissonna longuement. Cet homme les avait suivis. Derek avait raison. Elle s'excusa mentalement d'avoir douté de lui, puis le maudit parce qu'il n'était pas là pour la défendre.

— Nous l'avons eu, insista-t-elle. Pourquoi ne fouillez-vous pas la chambre ? Vous n'y trouverez rien.

— C'est déjà fait, déclara-t-il d'une voix glaciale. S'ils ne sont pas dans la chambre, c'est que ces livres sont sur vous, conclut-il.

A l'idée d'être livrée à ses mains d'assassin, de se voir humiliée par cette brute, Alexa crut s'évanouir. Et la poignée de la porte qui tournait... Derek ! L'homme savait où se trouvaient les livres, il n'avait plus besoin d'eux. Il le tuerait certainement s'il surgissait maintenant dans la chambre.

Ce fut l'instinct qui la guida. Son coude partit

brusquement en arrière, là où elle espérait atteindre les côtes de l'homme. Le coup le prit par surprise et il poussa un cri, le souffle coupé. Il faut dire qu'Alexa avait frappé de toutes ses forces. Se dégageant, elle plongea dans l'ombre, juste à temps pour voir Derek lancer deux boîtes de bière en direction de son agresseur.

Le malfaiteur les évita et frappa Derek sur la tête avec le canon de son arme.

Alexandra se glissa le long du mur et alluma le plafonnier. Les deux adversaires luttaient sur le sol, le souffle court, se battant pour attraper le revolver. Un costume de serge bleue ! C'était donc bien le suiveur. Affolée, elle chercha un objet pour assommer le bandit. Elle ne trouva rien et en fut réduite à prendre une de ses chaussures. Mais comment le frapper ? Ils ne cessaient de rouler d'un bout à l'autre de la chambre. Soudain, Derek parvint à arracher l'arme des mains de l'homme. Celle-ci glissa sous le lit. L'intrus ne demanda pas son compte. Il se redressa d'un bond et sortit en courant. Derek était resté à terre, se tenant la tête.

Alexa se laissa tomber à genoux près de lui.

— Vous êtes blessé ?

— Zut ! Il s'est enfui !

— Ne bougez pas ! lui ordonna-t-elle en écartant ses cheveux de sa tempe. Vous saignez.

— Il m'a donné un coup sur la tête, répondit-il en l'écartant d'une poussée. Il est normal que je saigne, non ?

Il sortit à son tour et fouilla l'obscurité du regard. Pas trace de l'homme au complet de serge bleue.

Après avoir juré, il revint dans la chambre et referma la porte.

— Vous allez bien ? demanda-t-il à Alexandra.

Elle sourit. Il s'était inquiété de sa santé avant de penser au livre !

— Laissez-moi m'occuper de vous, dit-elle en allant tremper une serviette de bain dans le lavabo.

Derek s'assit sur le lit et la laissa nettoyer sa plaie.

— Je vous dois des excuses, lui dit-elle. Cet homme surveillait le moindre de nos mouvements. J'ai essayé de le duper en lui racontant que nous avions laissé les livres dans une consigne à Charlotte, mais il m'a répondu que nous n'en avions pas eu le temps.

Elle frissonna, encore sous le coup de l'émotion.

— Savez-vous qui il est ? s'enquit-elle.

— Oui. Nous venons de recevoir la visite de M. Norman Sawyer.

— L'exécuteur testamentaire ?

— Lui-même.

— Je croyais que ces hommes-là ne quittaient jamais leur cabinet de travail.

Si on ne pouvait faire confiance à un exécuteur testamentaire, à qui se fier ?

— Il semblerait que Sawyer s'intéresse également aux livres de collection.

Devant son air piteux, Alexa ne put se retenir de rire.

— Moi qui pensais que les chasseurs de trésor savaient se battre. Dans les films, d'un seul coup de poing ils...

— Oh, d'accord. J'ai un peu perdu la main.

— Il va falloir vous y remettre !

— Ne vous inquiétez donc pas. Je survivrai. S'il n'avait pas crié... Au fait, pourquoi a-t-il poussé ce cri ?

— A cause de moi. Je lui ai donné un coup dans les côtes. Il m'a sauté dessus lorsque je suis entrée.

— Il vous a fait mal ?

— Pas vraiment.

Elle se frotta machinalement la gorge.

— Evidemment, je ne pourrai pas chanter dans mon bain pendant quelque temps.

Une pensée la frappa et elle pâlit.

— Il aurait pu me tuer !

Derek hocha la tête lentement et Alexa se laissa tomber sur le lit, atterrée.

— J'aurais pu être tuée, répéta-t-elle.

Elle eut soudain envie de retourner immédiatement à New York et de s'acheter trois serrures neuves et un doberman. Mais, d'un autre côté, cette aventure la fascinait trop pour abandonner ainsi au premier accord. Elle ne s'était jamais sentie si vivante. Sauf peut-être lorsque Derek lui avait fait l'amour. Elle leva les yeux vers lui.

— Vous m'avez sauvé la vie, dit-il en s'asseyant à ses côtés. Si vous n'aviez pas crié, il m'aurait certainement tué.

Il y avait de l'admiration dans ses yeux.

Alexa soupira. Si Derek ne lui avait pas parlé du code, elle aurait probablement laissé le livre sur le lit avant de s'enfuir de son appartement. Sawyer s'en serait emparé et n'aurait plus pensé à elle. Elle serait en ce moment douillettement installée dans son lit, à New York. Sauve... mais seule.

Sans même y penser, elle caressa son visage.

— Tel que je vous connais, vous auriez fait du charme à la balle.

— Je me contente d'en faire aux femmes. Surtout aux jolies femmes courageuses.

— Alors il ne peut s'agir de moi. Mon cœur bat si fort que j'ai l'impression que l'on n'entend que lui.

— Je sais un excellent moyen de vous calmer, chuchota-t-il en prenant doucement ses lèvres.

Alexandra s'embrasa d'un seul coup, brûlant soudain d'un feu que lui seul pouvait étouffer. Jamais elle n'aurait pu imaginer qu'être aimée par un homme pouvait la mener vers de tels sommets.

Elle se serra tout contre lui et sentit qu'il dégrafait sa robe lentement. Beaucoup trop lentement à son goût. Derek posa ses lèvres sur son épaule, puis l'autre, avant d'écarter les bretelles de la robe et de la faire glisser le long de son corps.

Il la rendait folle de désir ! Alexa voulait sentir sa peau contre la sienne. Mais, par-dessus tout, elle ne désirait pas rester passive. S'arrachant de ses bras, elle commença à déboutonner sa chemise. Derek sourit et se laissa aller sur le dos, se soulevant légèrement sur les coudes pour lui permettre d'ôter la chemise plus facilement.

— Je suis toujours heureux de me rendre utile, murmura-t-il.

— Si c'était vrai, vous ne m'auriez pas...

Elle se tut brusquement.

— Je ne vous aurais pas entraînée dans cette aventure ?

C'est ce qu'elle avait eu l'intention de dire. Mais, d'un autre côté, s'il ne l'avait pas entraînée, elle n'aurait jamais connu l'excitation de cette course au trésor, des moments passés dans ses bras, de tous ceux qui ne manqueraient pas de suivre.

— Vous parlez trop.

— Vous n'avez pas terminé, dit-il en amenant ses mains à la hauteur de sa ceinture.

Alexa parvint à ne pas rougir. Un exploit !

— Vous pensez que j'ai peur, n'est-ce pas ?

Il ne répondit rien, se contentant de l'observer d'un air moqueur.

— Eh bien, je ne suis pas effrayée, déclara-t-elle en tirant un peu trop fort sur la boucle de la ceinture.

Sans le quitter des yeux, elle défit un bouton. A cet instant, son courage l'abandonna et elle hésita. Une bouffée de chaleur la fit rougir.

— Ne vous arrêtez pas en si bon chemin, dit-il.

Sa voix était chargée de désir. Un désir au moins égal au sien. Sans plus hésiter, Alex tira sur la fermeture.

Mais le pantalon ne bougea pas. Elle découvrit alors qu'il y avait un autre bouton qui le retenait. Derek répondit en riant à sa question muette.

— Un signe de qualité. Je n'aime que ce qu'il y a de plus beau.

Il passa la main dans ses cheveux.

— Ce qu'il y a de plus beau, répéta-t-il.

Les épingles qui retenaient son lourd chignon

tombèrent et ses cheveux coulèrent en lourdes vagues sur ses épaules. Il finit lui-même de se dévêtir.

Se redressant, il passa derrière Alexa et l'enlaça. Elle resta immobile pendant qu'il couvrait son dos de petits baisers. Mais lorsqu'il prit ses seins dans ses mains, elle se laissa tomber sur le lit, l'entraînant dans sa chute.

Sawyer avait arraché les draps du lit pour mieux le fouiller, mais ils n'y prirent pas garde. Plus rien n'importait.

— Mon Dieu, Alexa vous me rendez fou.

— Au point de vous faire oublier le trésor ?

Il glissa les mains sur ses hanches et la serra contre lui.

— Le seul trésor qui m'importe pour le moment est celui que je tiens dans mes bras.

Chapitre 11

Alexa contempla le désordre qui régnait dans la chambre du motel. Elle en avait eu un aperçu la veille, bien sûr, mais la soirée avait été si agitée... A la lumière du jour, cependant, elle se rendit mieux compte du chaos. Tout ce qui pouvait être brisé ou déchiré l'avait été par un Sawyer furieux de ne pas trouver ce qu'il cherchait.

— Il va nous falloir payer tout cela, murmura-t-elle d'un ton ennuyé. Les propriétaires vont penser que nous avons eu une nuit très mouvementée.

Derek, qui boutonnait sa chemise, lui sourit.

— N'est-ce pas le cas ?

Elle préféra ne pas répondre, se contentant de grimacer un petit sourire. Oui, la nuit avait été très agitée. Elle avait même dépassé en intensité leur première expérience, mais elle ne voulait pas l'admettre. Comme si son silence pouvait tromper Derek... Machinalement, elle ramassa un coussin éventré et le posa sur la méridienne. Un nuage de plumes blanches s'envola.

Pour se donner une contenance, Alexa entreprit de

refaire le lit. Le matelas était fendu de bas en haut. Sawyer devait penser qu'ils y avaient caché les livres, se dit-elle. Quel vandale !

A sa grande surprise, Derek vint l'aider.

— Sawyer a dû lire un article dans la presse ou entendre parler d'une légende locale. A moins que mes questions ne lui aient mis la puce à l'oreille.

Alexa ramassa le dessus-de-lit froissé et le lui lança.

— La façon dont il a appris cette histoire est sans importance, répondit-elle. Ce qui est grave, c'est qu'il semble prêt à tout pour récupérer les livres. Qu'allons-nous faire ?

Derek lissa le couvre-lit du plat de la main.

— Nous serons très prudents.

— Voilà qui ne me rassure guère.

Ils sortirent de la chambre et il lui passa un bras autour des épaules.

— C'est parce que vous êtes pessimiste de nature. Nous allons tâcher de le mettre sur une fausse piste.

Il parlait comme si cette aventure ne s'achèverait jamais. Pourtant, Alexandra savait qu'une fois l'or trouvé tout serait fini. S'il la gardait avec lui jusqu'au bout... Malgré la passion dont il faisait montre à son égard, elle n'arrivait à s'ôter de l'esprit qu'il allait lui voler son livre et disparaître à jamais. Evidemment, elle se trompait peut-être, mais combien de femmes avaient été tournées en ridicule par un charmeur comme lui ?

Une liaison durable ? A quoi pensait-elle ! Elle se laissait entraîner par son imagination. Alexa était responsable, il n'était pas dans sa nature de se soustraire à ses obligations. Elle faillit toutefois à cette règle quand Derek paya la note de l'hôtel avec sa carte de crédit. Ni lui ni elle ne mentionnèrent l'état du mobilier...

Après avoir quitté le motel. Alexa se sentit soudain coupable.

— Nous aurions dû lui parler des coussins et du matelas éventrés, sans compter la chaise longue brisée.

— Il y a longtemps qu'ils auraient pu remettre cette chambre à neuf. De plus, il est certainement assuré.

Alexa haussa les épaules, se rendant compte qu'il était inutile d'insister.

— Vous avez plus d'expérience que moi, grommela-t-elle.

— Si nous avions parlé, il aurait certainement porté plainte et nous aurions perdu un temps précieux avec la police.

Devant son air buté, il soupira.

— Si cela peut vous faire plaisir, je vous promets de lui expédier de l'argent dès que nous aurons découvert l'or.

— D'accord.

Elle regarda par-dessus son épaule, préoccupée.

— Qu'y a-t-il ? demanda Derek.

— Pensez-vous qu'il nous surveille, chuchota-t-elle.

— Le propriétaire du motel ?

— Non, Sawyer.

— Probablement. Mais que cela ne vous gâche pas votre journée.

— Pourquoi, en effet, me préoccuper d'un homme qui en veut à ma vie ?

Derek affichait un calme qu'elle était loin de partager.

— Ne vous inquiétez pas, répéta-t-il. Je ne le laisserai pas vous faire du mal.

Il avait dit cela avec le plus grand sérieux, un peu comme si lui aussi rêvait d'une liaison durable.

— Pouvons-nous acheter des vêtements ? demanda Alexandra lorsqu'ils débarquèrent à Richmond.

— Acheter, acheter, vous ne pensez donc qu'à cela ! J'ai l'impression que vous en voulez à ma fortune.

— Si c'était le cas, je serais terriblement désappointée.

Ils traversèrent rapidement le hall de l'aérogare et montèrent dans un taxi. Derek donna alors au chauffeur l'adresse de la prochaine bibliothèque sur la liste, sans se préoccuper du regard furieux d'Alexa qui aurait d'abord voulu se reposer un peu dans un bon hôtel.

— Ainsi, vous seriez désappointée ? dit-il, revenant à leur conversation.

— Très. A moins que vous ne possédiez de solides économies, obtenues en ne payant pas les meubles cassés dans les chambres de motels.

— Ce n'est pas mon genre. Ni les motels de second ordre.

Il s'étira, puis l'enlaça.

— Cependant, celui-ci restera gravé à jamais dans ma mémoire.

— A cause du coup reçu sur la tête ?

Elle avait parfaitement compris ce qu'il voulait dire mais avait besoin de s'en assurer. Le cœur battant, elle attendit sa réponse.

Derek la serra contre lui.

— Je ne pensais pas à Sawyer.

Instinctivement, Alexandra se blottit dans ses bras. Malgré tout, elle douta de sa parole. Il devait se croire obligé d'être poli. Elle décida de profiter du temps présent et de ne pas chercher à croire à un bonheur hypothétique. Un souvenir qu'elle conterait à ses petits-enfants. A ses petites-filles, surtout, lorsqu'elles seraient en âge de comprendre. Elle soupira. Depuis quelques jours, elle soupirait pour un oui pour un non, songea-t-elle.

— Nous touchons presque au but, murmura Derek, se méprenant.

Elle le savait, malheureusement.

Le bibliothécaire en chef était un petit homme à la chevelure désordonnée. Il pinça les lèvres en écoutant l'histoire de Derek.

— Ceci est tout à fait irrégulier.

Le fameux charme de Derek n'opérait pas sur les hommes.

Avant qu'il puisse parler de nouveau, Alexandra prit le directeur par le bras et lui adressa son regard le plus enjôleur.

— Nous le savons, monsieur Abernathy, mais ce livre est toute ma vie.

Après avoir jeté un coup d'œil inquiet autour d'elle, Alexa baissa la voix.

— Il ne s'agit pas d'un livre ordinaire mais de mon journal intime. Il contient certains...

Elle fit une pause et parvint à rougir.

— Il est très personnel. S'il tombait dans des mains hostiles, c'en serait fait de ma réputation.

Ce fut au tour du petit homme de rougir.

— Je comprends, je comprends.

Se tournant vers Derek, il lui lança un coup d'œil furibond.

— Pourquoi ne pas m'avoir dit qu'il s'agissait d'un journal ?

— Je ne voulais pas embarrasser Doris, répondit aussitôt Derek, entrant dans le jeu.

Il se comporte comme un chat, pensa-t-elle. Il retombe toujours sur ses pieds.

— Vous me surprendrez toujours, chuchota Derek lorsque le bibliothécaire les eut laissés devant une grande table chargée des livres du legs.

Alexa lui adressa un sourire satisfait. Au même instant, une femme pénétra dans la pièce et parut stupéfaire de les trouver là.

— Que faites-vous ici ?

C'était à Derek de jouer. Il s'avança.

— Nous avons reçu la permission de M. Abernathy.

La plus vive surprise se peignit sur les traits de la nouvelle venue.

— Le journal personnel de ma sœur a été expédié par erreur avec cet envoi. C'est un volume à couverture de cuir.

L'explication était un peu légère mais le charme de Derek agit de nouveau.

— Voulez-vous que je vous aide ?

— Non ! s'écria Alexa. C'est... très personnel et...

Elle se mordit les lèvres, se demandant comment se débarrasser de cette intruse.

— Nous venons d'arriver en ville et je me demande si vous ne pourriez nous indiquer un bon hôtel... intervint Derek.

— Bien sûr... susurra la jeune femme.

Et ils quittèrent la pièce, laissant Alexa seule. Elle soupira, encore. Allait-il continuer à user de son charme sur toutes les femmes dès que le besoin s'en ferait sentir ? Comment croire qu'il agissait différemment avec elle ? Elle ferait mieux de ne pas trop rêver. Tomber amoureuse d'un tel homme correspondait à une folie.

Malheureusement, il était trop tard.

Cesse de te tourmenter, Alexa ! Examine plutôt ces livres avant qu'on ne vienne te questionner de nouveau sur ta présence ici.

Machinalement, elle ouvrit un livre, puis un autre, puis...

Elle s'immobilisa, retenant sa respiration. Elle avait trouvé ! Il lui fallut beaucoup de volonté pour ne pas partir à la recherche de Derek sur-le-champ. Un regard vers la porte entrebâillée, et elle glissa le volume dans son sac. Son premier vol, mais pour la bonne cause. Cependant, son sens moral protesta violemment. Une bibliothécaire diplômée volant un livre !

Pour se donner bonne conscience, elle se promit de

rendre l'ouvrage après avoir trouvé le trésor. Le trésor ! Son esprit commençait à fonctionner comme celui de Derek. Un sourire se dessina sur ses lèvres...

Stimulée par sa découverte, elle se remit à examiner les livres. Le quatrième volume ne se trouvait probablement pas dans le même envoi que le troisième, mais il lui fallait s'en assurer.

Elle avait presque fini lorsque Derek revint.

— Pourquoi suis-je toujours la seule à travailler ? se plaignit-elle.

Elle mourait d'envie de lui parler de sa découverte, mais décida d'attendre encore un peu.

— Et que croyez-vous que j'aie fait, cette dernière heure ? Je n'ai jamais rencontré une femme qui parlait tant ! Je connais maintenant sa vie par cœur.

— S'il ne lui a fallu qu'une heure pour vous la raconter, ce ne devait guère être intéressant.

— Une heure et quinze minutes, précisa-t-il.

C'est alors qu'il remarqua son sourire satisfait.

— Vous l'avez trouvé ? Vous l'avez trouvé !

Alexa hocha la tête.

— Où est-il ?

— Dans mon sac, chuchota-t-elle.

— Avez-vous terminé ? demanda-t-il en désignant la table.

— Presque, il ne reste plus que cette pile.

Derek se mit aussitôt à l'ouvrage, mais ils ne furent pas beaucoup étonnés que le quatrième livre ne soit pas dans cette expédition. Ils progressaient malgré tout. Le quatrième livre ne devait pas être loin.

— Venez, dit Derek. Allons-nous-en. Nous allons aller nous rafraîchir à l'hôtel. Vous désirez toujours des chambres séparées ?

Alexa secoua la tête.

— Je viens de découvrir que j'avais peur du noir.

— Vous pourriez dormir avec une lampe de chevet allumée.

— Ce n'est pas pareil.

— Je suis heureux de vous l'entendre dire.

Ils s'installèrent au Sheraton, un des hôtels indiqués par la bibliothécaire bavarde.

Se refusant à porter un instant de plus sa robe de bain de soleil rouge, Alexa se précipita dans la galerie marchande de l'hôtel. Elle refusa que Derek l'accompagne, lui demandant de monter dans la chambre et de commander un bon déjeuner. Elle mourait de faim.

— Achetez quelque chose de sexy, lui lança-t-il avant de disparaître dans l'ascenseur.

Plutôt quelque chose de bon marché, se dit-elle en pénétrant dans une boutique de mode. S'ils ne trouvaient pas le trésor, il lui faudrait des mois pour combler son découvert à la banque.

Dès l'entrée, un tailleur bleu retint son attention. Il était léger, facile à mettre et d'un prix raisonnable. Alexa en fit l'emplette, ainsi que d'un chemisier à col officier et d'une chemise de nuit qu'elle espérait bien ne jamais porter.

— Très, très joli, murmura Derek en la prenant dans ses bras.

— Est-ce moi que vous attendiez, ou les livres ?

— Vous voulez que je réponde franchement ?

— Si vous y parvenez, oui.

— Les deux !

Alexa se dégagea et s'avança dans la chambre.

— Je vois que vous n'avez pas oublié le déjeuner.

Ils se mirent à table et commencèrent à se restaurer. Alexa nota, tout à coup que Derek ne la quittait pas des yeux.

— Qu'y a-t-il ? demanda-t-elle.

— Je m'étonne de vous voir si mince avec un tel appétit.

— J'ai trop mangé, dit-elle en avalant la dernière bouchée de gâteau au chocolat.

— Un peu plus de vin ?

— Non, merci. J'ai assez bu.

Il lui prit gentiment la main.

— Cela vous détendra.

— Je n'en ai nul besoin, protesta-t-elle.

Elle mentait, évidemment. Depuis qu'ils avaient quitté le motel, elle se sentait extrêmement tendue, s'attendant à voir surgir Sawyer à tout instant.

Derek emplit son verre et lui embrassa la paume de la main.

Une sensation de bien-être envahit tout le corps d'Alexandra. Lentement, elle retira sa main de la sienne.

— Combien reste-t-il de bibliothèques à visiter ?

— Une.

Seulement une ! La fin de la belle aventure approchait à grands pas. N'y pense pas, se dit-elle. Beaucoup de choses pouvaient encore arriver d'ici là. Elle but son vin à petites gorgées pendant que Derek terminait son dessert. Où irait-il, une fois la course au trésor achevée ? Et elle, que deviendrait-elle ? Retournerait-elle à la vie sans surprise qu'elle avait menée jusque-là ? Que ferait-elle de tout cet argent ? A condition que le trésor existe, bien entendu...

— Ne faut-il pas déclarer le trésor à l'Etat ?

Elle se voyait très bien remplir un formulaire. Origine de la découverte : Attaque d'un train il y a cent vingt ans !

Derek s'étrangla de rire.

— Mais le gouvernement nous prendrait presque tout ! Songez à tous nos frais. Il ne nous resterait plus rien ! Ne croyez pas que l'on gagne beaucoup dans cette profession ! Je fais plutôt cela pour m'amuser.

Alexa préféra changer de sujet.

— Nous devrions peut-être examiner les livres. Même si nous trouvons le dernier...

— Mais nous le trouverons !

— D'accord. Lorsque nous entrerons en possession du dernier exemplaire, il nous faudra tout de même déchiffrer ce code. Pourquoi ne pas commencer maintenant ?

Derek acquiesça.

— J'avais de toute façon l'intention de passer un après-midi et une soirée tranquilles.

Alexa alla chercher son sac.

— D'après ce que vous m'avez dit, notre sudiste n'a pas eu beaucoup de temps pour imaginer ce code.

— C'est vrai. Et s'il était aussi intelligent que sa

fille semblait le croire, il a dû laisser la clef du code derrière lui. Au cas où on ne l'aurait pas pendu, il fallait qu'il la retrouve, car si sa mémoire lui avait fait défaut...

Alexa plaça ses deux livres sur le bureau. Deux innocentes éditions de Shakespeare. Henry IV, deuxième partie, et Les Joyeuses Commères de Windsor. Qui aurait pu penser qu'un code secret se cacherait au milieu des aventures de Falstaff ?

Derek lui tendit son volume. Henry IV, première partie.

— Et si l'homme possédait une excellente mémoire et n'avait pas cru bon de fournir la clef du code ?

— Quand apprendrez-vous à voir l'avenir en rose, Alexa ?

— Il vaut mieux, quelquefois, s'attendre au pire. Cela évite bien des désagréments.

Comment renouer avec une existence ennuyeuse à mourir après avoir connu l'aventure ? Cette course au trésor était pour elle comme un rayon de soleil au milieu de la grisaille. Et Derek était devenu son soleil ! Comment supporter la vie après son départ ?

Derek ouvrit sa copie de Henry IV. Il y avait à l'intérieur de la couverture les mêmes chiffres que dans les autres livres. Soigneusement calligraphiés, ils suivaient les bords de la page, l'encadrant complètement.

Alexa lui prit le livre des mains.

— Quelle peut-être la signification de tout ceci ? Où cela commence-t-il ? Par quel livre faut-il débuter ?

— Nous aurons peut-être la réponse à ces questions lorsque nous trouverons le dernier volume, suggéra-t-il.

Alexa fronça les sourcils.

— Je n'aime pas attendre le dernier moment. Ce serait si pratique de découvrir maintenant...

— Je partage entièrement ce point de vue, mon cher Watson !

Derek releva une mèche qui barrait son cou et déposa sur celui-ci un petit baiser.

— Derek ! Moi qui pensais que vous désiriez trouver la clef du code.

Le livre lui tomba des mains.

— J'ai besoin d'abord d'un petit remontant...

Et il renversa Alexandra sur le lit qui sentit bientôt, avec délices, le poids de son corps sur le sien.

Chapitre 12

Alexandra ouvrit les yeux. Elle ne se souvenait pas s'être endormie. Derek la tenait dans ses bras. Sa respiration lente et paisible lui indiqua qu'elle n'était pas la seule à avoir succombé au sommeil. Ce n'était pas étonnant. Ils avaient fait l'amour jusqu'à épuisement...

Elle se dégagea doucement et s'assit. Un moment, elle l'observa avec tendresse. Il y avait sur son visage une innocence touchante.

L'amour. Comment en était-elle arrivée là ? Et si vite ? Tout avait commencé parce qu'elle désirait s'assurer que celui qui avait forcé sa porte ne recommencerait plus. Puis elle avait eu envie de déchiffrer le code, comptant reprendre rapidement sa vie rangée. Maintenant, la seule idée de retrouver sa morne existence l'emplissait de tristesse.

Tu te conduis comme une idiote, se dit-elle. Pourquoi cette mélancolie ? A ce jour, Alexandra avait toujours très bien réagi à l'adversité. Avec plus ou moins de bonheur, certes, mais sans se démonter. Pourquoi était-ce différent aujourd'hui ? Au fond, la réponse était simple. Elle n'avait jamais été amoureuse. Pas comme elle l'était maintenant.

Elle soupira et décida de ne plus penser à l'avenir pour le moment. Il y avait ce code qui l'obsédait.

Balançant ses jambes par-dessus le rebord du lit, elle se leva. S'habiller ? Pour quoi faire ? Ils avaient prévu de ne pas sortir. D'ailleurs, Derek dormirait probablement jusqu'au lendemain.

Ayant enfilé la chemise de nuit qu'elle venait de s'offrir, elle se dirigea vers le bureau. Les trois livres s'y trouvaient alignés. Elle prit une rame de papier à lettre à en-tête de l'hôtel, dans un tiroir, s'arma d'un crayon et commença à étudier le code.

Une heure plus tard, elle n'avait fait qu'une découverte : le crayon à bille fuyait. Désespérée, elle retourna chacun des livres, espérant qu'un papier en tomberait.

Rien !

Pourquoi s'énervait-elle de la sorte ? En plus, elle avait mal au cou et aux épaules, comme lorsqu'elle préparait ses examens. Ah, l'époque du lycée ! Sa plus grande satisfaction était alors d'obtenir une bonne note aux examens de passage. Comme la vie était simple, alors. Alexa sourit. Ce n'était pas ce qu'elle pensait en révisant ses cours. Comprendre Shakespeare n'avait pas été facile.

Elle prit la première partie de Henry IV, la pièce qui lui avait donné le plus de mal autrefois. Installée dans un confortable fauteuil, Alexandra se mit à la parcourir. Elle sourit de nouveau au souvenir d'un week-end passé à tenter d'en dénouer l'intrigue. Ces deux jours avaient été déterminants. A partir de là, elle avait commencé à mieux apprécier Shakespeare. Ironie du sort ! Voilà que la pièce resurgissait dans sa vie.

Elle revint au début et commença à lire. La merveilleuse prose agit sur elle comme un baume. Plus de migraine ! Elle ramena ses jambes sous elle et continua à lire, gagnée par un sentiment de tranquillité tout à fait inhabituel.

En tournant une page, elle remarqua soudain un minuscule signe, en haut à droite. Une lettre, un d, avait été crayonnée finement au-dessus du numéro de la page. Son cœur fit un bond.

— Garde ton calme, ma fille, murmura-t-elle.

Rapidement, de ses mains un peu tremblantes, elle feuilleta le volume. Il y avait un f à la page 12 et un h à la 23. Ne pouvant croire encore à sa chance, Alexandra continua à tourner les pages. D'autres lettres apparurent.

Elle avait trouvé !

— Derek !

Elle se précipita sur le lit en serrant le précieux volume contre son cœur.

— Réveillez-vous !

Elle se mit à le secouer.

— Une minute, encore une minute, grommela-t-il en tentant de la prendre dans ses bras.

— Mais il ne s'agit pas de cela ! cria-t-elle en le repoussant.

Derek secoua la tête pour chasser le sommeil. Il n'avait pas coutume de faire la sieste l'après-midi et il était encore tout endormi.

— Vous êtes déjà lasse de moi ?

— J'ai trouvé ! s'exclama-t-elle en agitant le livre sous son nez.

— Je sais. C'est moi qui vous l'ai donné.

— Mais non, réfléchissez !

— Si vous vous exprimiez plus calmement, je... Le code !

Ses yeux s'éclairèrent brusquement.

— Vous avez déchiffré le code ?

Alexa hocha vigoureusement la tête.

— Je le crois. Regardez !

Elle lui montra le haut de la page 23.

Derek aperçut la lettre h qui couronnait le nombre.

— Il y en a d'autres ? demanda-t-il.

Il paraissait étonnamment calme et l'enthousiasme d'Alexa s'altéra.

— Oui. Il y en a exactement vingt-six. Toutes les lettres de l'alphabet ! N'est-ce pas formidable ?

— Bien sûr.

Il parcourut alors le livre pour se persuader qu'elle n'avait pas rêvé.

— Vous n'avez pas l'air content, lui fit-elle remarquer.

— Nous nous rapprochons, nous nous rapprochons, murmura-t-il sans quitter le livre des yeux. Habillez-vous !

— Pourquoi ? Nous sortons ?

Derek se vêtait déjà. Alexa l'imita machinalement.

— Nous n'avons plus une minute à perdre, lui dit-il. Nous partons. A nous la dernière bibliothèque ! Dans quelques heures...

— Et Sawyer ? Ne pensez-vous pas qu'il nous suit toujours ?

Elle se demanda pourquoi cet homme n'avait encore rien tenté contre eux. Il devait pourtant savoir où ils se trouvaient. Alexa était persuadée qu'il n'avait pas perdu leur trace. C'était un individu plein de ressources. Ils avaient eu de la chance, certes, mais si c'était maintenant au tour de leur adversaire d'en avoir ?

— Ne vous inquiétez pas pour Sawyer. Vous transcrirez le code sur une feuille de papier pendant le vol.

— Faudra-t-il que j'avale ensuite le papier ?

Elle avait fini de s'habiller et mit la chemise de nuit dans le paquet où se trouvait déjà la robe rouge.

Derek se mit à rire.

— Vous lisez trop de romans d'espionnage.

Il enfila sa veste, puis ramassa les livres.

— Tenez, mettez ces deux-là dans votre sac, je garde l'autre.

Alexa nota qu'il avait conservé celui contenant la clef du code. Cela l'ennuya. Il avait aussi peu confiance en elle qu'elle en lui...

— Pourquoi prenez-vous celui-ci ? s'enquit-elle malgré elle.

Derek regarda la couverture.

— C'est celui que je possédais déjà.

— C'est aussi celui qui contient la clef du code.

Il fit une pause, commençant à comprendre l'insinuation.

— Vous avez les deux autres.

— Mais vous avez le code, répondit-elle, se haïssant d'insister.

— Vous l'avez peut-être copié pendant mon sommeil.

— Je ne ferais jamais une chose pareille !

— Je n'ai que votre parole. Et vous n'avez que la mienne. Ne pouvez-vous me faire confiance, rien qu'une fois ?

— Vous avez raison, mais je n'ai pas recopié le code !

Il s'effaça pour la laisser sortir, la rejoignit dans le corridor et passa un bras autour de ses épaules en un geste maintenant devenu familier à Alexa.

— Je sais.

Dans le hall de l'hôtel, Derek demanda à Alexandra de s'occuper de la note pendant qu'il allait chercher un taxi.

Le réceptionniste prit un air désolé et alarmé.

— Quelque chose ne va pas ?

Alexa se regarda dans une glace, se demandant si elle avait oublié de boutonner son chemisier. Tout avait l'air en ordre.

— Non. Pourquoi ?

— Vous n'êtes arrivés qu'il y a quelques heures et...

— Mon mari a reçu un appel urgent.

L'homme jeta un coup d'œil discret à sa main gauche, n'y vit pas d'alliance et prit un air entendu. Sans se laisser démonter, Alexa lui sourit.

— Nous sommes un couple moderne et ne croyons pas à tous ces vieux symboles.

L'homme hocha la tête poliment, n'en pensant pas

moins. Comment Derek s'y prenait-il pour qu'on le croie ? se demanda Alexa en s'éloignant de la réception. Dehors, elle rejoignit Derek dans un taxi.

— Encore un aéroport, grommela-t-elle un peu plus tard en le suivant vers l'escalier mécanique qui menait à la porte de départ. Où se trouve la dernière bibliothèque ?

Il y avait peu de monde dans ce grand hall, ce qui parut normal à Alexa. Après tout, peu de gens voyageaient au milieu de la semaine et à neuf heures du soir.

Et dire qu'elle avait encore plus peur de voler la nuit que le jour ! Mais avait-elle le choix ? Pas question de renoncer si près du but.

Ils s'engagèrent dans l'escalator.

Arrivés au premier étage, celui des départs, Derek lui serra brusquement le bras.

— Qu'y a-t-il ?

— Il est ici.

Sans avoir à le questionner plus avant, Alexa sut qu'il parlait de Sawyer.

— Vous êtes certain ? murmura-t-elle, la gorge sèche.

— Le même costume. La même taille.

Alexandra regarda par-dessus son épaule. L'homme qui se tenait au bas de l'escalator était bien Sawyer. Elle le reconnut immédiatement.

— Que faisons-nous ? chuchota-t-elle.

— Nous prenons l'avion comme si de rien n'était.

— Et après ?

Elle passa son bras sous celui de Derek et ils s'éloignèrent de l'escalator le plus vite possible.

— Nous attendons.

Par prudence, ils se joignirent à un petit groupe qui stationnait devant la porte d'embarquement.

Sawyer resta en arrière, prétendant lire un journal.

— Il ressemble à un bandit tout droit sorti d'un vieux film policier des années 40, dit Alexa, tout bas.

— Les exécuteurs testamentaires n'ont sans doute pas le temps de se mettre à la page, répondit Derek d'un ton qu'il s'efforça de rendre léger.

L'homme qu'elle aimait possédait des nerfs d'acier, se dit-elle, admirative. Quant à elle, elle aurait souhaité boire quelque chose de bien fort pour se donner un peu de courage. Mais pour approcher du bar, il fallait passer devant Sawyer, et cette idée lui donnait la chair de poule. Elle préféra avaler un café tiède et fade que Derek tira d'un distributeur. La minuscule tasse de carton n'était qu'à moitié remplie, mais le breuvage était si mauvais qu'elle en fut ravie.

Derek lui prit la main.

— Ne vous inquiétez pas, déclara-t-il à voix basse. Tout ira bien.

Des nerfs d'acier et un optimisme à toute épreuve. Quel mélange ! Elle préféra penser au code qui restait à déchiffrer. Impossible d'y travailler près de Sawyer...

Le vol à destination de Charleston leur parut interminable. Bien que les dossiers des sièges soient hauts, Alexa sentait le regard de Sawyer qui la transperçait. Lorsque l'appareil se posa, elle était à bout. Elle faillit marcher vers lui pour lui demander de les laisser tranquilles.

Ils grimpèrent dans un taxi et Derek pria le chauffeur d'accélérer au cas où ils seraient suivis.

— Monsieur, je viens de passer cinq heures au volant, répondit-il. Je n'ai qu'une envie, rentrer chez moi et regarder un match à la télé. Où voulez-vous que je vous dépose ? Si vous ne le savez pas...

Il se tut brusquement, les yeux fixés sur le billet de vingt dollars que lui tendait Derek.

— C'est pour la course ou c'est un pourboire ?

— Un pourboire.

— Tenez-vous bien ! s'écria l'homme en démarrant sur les chapeaux de roue.

Il conduisait encore plus vite et plus brutalement que le chauffeur qui avait réussi à semer Sawyer en Caroline du Nord. Alexa crut que sa dernière heure était arrivée, mais elle ne protesta pas.

Finalement, le taxi stoppa devant le Hilton.

— Non, attendez ! s'écria Derek. J'ai changé d'avis. Amenez-nous au Savoy.

La grosse voiture jaune repartit de plus belle.

— Que se passe-t-il ? demanda-t-elle à Derek. Il nous suit toujours ?

— Non. Mais je viens de me souvenir que je suis descendu au Hilton il y a quelques mois.

— Je vois. Une note que vous n'avez pas eu le temps d'honorer ?

— Quelque chose dans ce genre. Comme je vous l'ai dit, je payerai mes dettes dès que nous mettrons la main sur le trésor.

— Mais je n'ai pas protesté !

— Je sais. Mais j'aimerais que vous me croyiez.

Trois minutes après être entrée dans la chambre,

Alexa s'effondra sur le lit, tout habillée, et s'endormit.

Le lendemain matin, elle était si nerveuse qu'elle ne parvint pas à déjeuner. Aujourd'hui, leur aventure prendrait un tournant définitif. S'ils ne trouvaient pas le quatrième livre, ils n'auraient plus d'indices. Les trois volumes en leur possession, elle en était persuadée, ne recelaient pas toutes les informations. Le fait que le sympathisant sudiste ait dissimulé son code dans quatre ouvrages l'indiquait clairement.

Elle regarda Derek avaler un plat d'œufs brouillés, de bacon et de saucisses, la gorge serrée.

— Comment pouvez-vous manger en un moment pareil ?

— J'ai très bon appétit.

Elle but une gorgée de café. Il était froid mais elle n'y prêta pas attention.

Huit heures, à peine.

— Croyez-vous que la bibliothèque soit ouverte ?

Derek la regarda par-dessus son grand verre de jus d'orange.

— Voyons, Alexa. En tant que bibliothécaire, vous devriez savoir que ces institutions n'ouvrent pas si tôt.

— Je ne sais plus rien, murmura-t-elle tristement. Depuis que nous nous sommes mis en chasse, je n'ai plus toute ma tête. D'un autre côté, j'en ai plus appris en quelques jours qu'en bien des années.

— C'est-à-dire ?

Alexandra se leva et se mit à faire les cent pas dans la chambre.

— J'aime l'excitation que provoque en moi cette course folle. Je suis morte de peur, et pourtant j'aime ça !

— C'est tout ?

Elle comprit sa question et rougit. S'il s'imaginait qu'elle allait se joindre au chœur de ces femmes qui le dévisageaient avec leurs yeux pâmés, il se trompait lourdement ! Elle l'aimait, certes, mais ce n'était pas une raison pour le lui dire.

— Je crois que je vais jeter un coup d'œil au code, décida-t-elle en ramassant son sac et en repoussant son assiette pour faire de la place.

Armée d'un crayon et de papier, Alexa tendit la main. Derek, en soupirant, lui donna la première partie de Henry IV, et elle se mit au travail.

Lentement, elle écrivit chaque lettre de l'alphabet sur une ligne différente, puis elle ouvrit le livre et chercha pour chacune d'elles le nombre correspondant qu'elle porta sur la feuille. Cette tâche lui prit plus de vingt minutes, la lettre e n'apparaissant qu'à la fin du livre. Elle l'avait déjà trouvée mais s'était aperçue qu'elle était barrée d'un léger trait de crayon. Au-dessous se trouvait la lettre o. Le e figurait sur la page 100.

Alexa aligna ensuite les trois livres sur la table.

— Par lequel commencer ? Et où débute le message sur chaque couverture ?

Derek se pencha en avant et contempla les trois ouvrages longuement.

— Pour Henry IV, c'est facile. La première partie

doit certainement précéder la seconde. Quant aux Joyeuses Commères... Il peut aussi bien se trouver devant que derrière.

Alexandra secoua la tête.

— Derrière, plus que probablement. L'œuvre a été écrite plus tard, à la demande de la reine.

Elle se mordit la lèvre inférieure, pensive. La solution était là, dans un coin de son esprit. Elle le sentait. Mais impossible de la faire se matérialiser. Plus Alexa essayait de se souvenir, moins elle y parvenait. Elle observa un instant Derek. Il aurait été un très bel Henry IV, se dit-elle. Ou, mieux encore, son fils. Oui, Derek ressemblait beaucoup au jeune prince Hal. Prêt à tout, épris de liberté... Mais sous le prince se devinait, malgré son jeune âge, beaucoup de noblesse. Celle d'un homme qui serait roi un jour.

Elle avait trouvé !

— Henry V ! s'écria-t-elle.

— Que vient-il faire dans cette histoire ? demanda Derek, n'y comprenant rien.

— Pas l'homme, la pièce ! Ne voyez-vous pas ? Si notre sudiste était aussi méthodique que vous le dites, il aurait suivi l'ordre chronologique. Les Commères ne viennent pas en trois mais en quatre ! Henry V, qui raconte les aventures du prince Hal, fut écrit après Henry IV mais avant les Joyeuses Commères de Windsor. Voilà le livre qu'il nous faut trouver !

Alexandra laissa échapper un soupir et resta silencieuse un long moment. Soudain, elle se leva.

— Qu'attendons-nous ? lui lança-t-elle en mettant ses deux exemplaires dans son sac.

Ramassant le volume qui contenait la clef du code, elle le lui tendit avec la feuille où elle venait de transcrire l'alphabet.

C'était la seule façon de lui prouver sa confiance.

— Allons-y, dit-il en lui prenant la main.

Chapitre 13

— Et maintenant ? demanda Alexandra d'un air sombre.

Ils venaient de quitter la bibliothèque municipale de Charleston, où ils avaient cherché en vain.

A leur arrivée, ils avaient découvert que les livres étaient déjà catalogués et prêts à passer sur les rayons. Derek avait conté sa petite histoire à une jeune femme qui s'était empressée de lui laisser examiner les ouvrages, mais ils n'avaient rien trouvé. Le quatrième morceau du puzzle manquait toujours.

Pour la première fois depuis qu'elle le connaissait, Derek semblait ne plus savoir comment agir.

Alexandra soupira.

— Etes-vous certain qu'il n'existe pas une autre bibliothèque ?

— J'en suis sûr.

Ils s'éloignèrent lentement de l'immeuble. Alexa se demanda si Sawyer les suivait toujours. Pourquoi ne les précédait-il pas ? Après tout, il possédait certainement la même liste de bibliothèques qu'eux. Pourquoi ne s'était-il pas efforcé de s'emparer des livres avant eux ? Il avait bien essayé, à New York, mais sans succès.

C'était sans doute parce qu'ils n'avaient cessé de se déplacer rapidement, ne lui laissant pas le temps de les prendre de vitesse.

Quel malheur ! Etre allé si loin pour aboutir dans un cul-de-sac. Si Derek ne trouvait pas un moyen de les en sortir rapidement, le puzzle ne serait jamais résolu.

Alexandra détestait les histoires sans fin. C'était en partie pourquoi elle aimait tant les livres. Dans les romans, il y avait toujours un début, un développement et une chute. Ce code mystérieux risquait fort de ne jamais être déchiffré...

— Venez, lui dit Derek. Retournons à l'hôtel et voyons si nous pouvons donner un sens au message avec trois livres seulement.

Alexa haussa les épaules.

— Pourquoi ne pas essayer ? Après tout, nous n'avons rien d'autre à faire.

— Ne prenez pas cet air désespéré. Nous n'avons pas encore dit notre dernier mot !

Comment pouvait-on montrer un tel optimisme ? Où trouvait-il ce ressort ?

Ils passèrent le reste de l'après-midi à décoder la suite des chiffres. Les deux volumes de Henry IV se suivant, ce fut assez aisé. Ce qui le fut moins, en revanche, fut de donner un sens aux lettres qu'ils obtinrent.

— Nous avions une marmelade de nombres, nous sommes maintenant en possession d'une confiture alphabétique, grommela Alexa en écrivant la dernière lettre.

Elle se mit à mordiller son crayon.

— Il doit pourtant y avoir un sens !

Derek se tenait près de la fenêtre, regardant dans la rue. Il fallut un moment à Alexa pour remarquer qu'il était bien silencieux.

— Il est là ? demanda-t-elle brusquement, pensant à Sawyer.

Derek se mit à rire.

— Nous sommes au septième étage et c'est l'heure de la sortie des bureaux.

— Pas de costume de serge bleue à l'horizon ?

— Pas le moindre.

Il se tourna vers elle, pensif.

— Alexa...

— Oui ?

Elle s'était remise à étudier la feuille qu'elle venait de remplir.

— Et si Sawyer avait le quatrième livre ?

— Pardon ?

Elle leva la tête.

— Qu'est-ce qui vous fait penser cela ?

— Une intuition.

Mais une idée qui lui plaisait de plus en plus. Quand il parla, ce fut avec plus de conviction.

— Imaginons que Sawyer surveille l'expédition. Il y a des bouquins partout et, pour respecter le legs, il a fallu casser l'ordre alphabétique. Un collectionneur range toujours ses livres par ordre alphabétique, non ? Bon, Sawyer prend machinalement un ouvrage et l'examine pour voir dans quelle caisse il faut le mettre. En ouvrant la couverture, il aperçoit une suite de chiffres.

— Mais il n'en connaissait pas la signification !

— Ce n'est pas certain. Je lui avais posé pas mal de questions susceptibles de lui avoir mis la puce à l'oreille. Plus j'y pense, plus je trouve cette explication logique. Pour une raison que nous ignorons, il a en sa possession le morceau de puzzle manquant.

— Votre histoire est tirée par les cheveux.

— Mais c'est la seule plausible. De plus, nous n'en n'avons pas d'autre.

— C'est vrai.

Alexa posa son crayon et se passa la main sur la nuque. Elle se sentait toute raide. Derek s'approcha et entreprit de masser ses épaules lasses.

— Il faut que nous le débusquions.

Le cœur d'Alexandra battit un peu plus vite. L'idée d'avoir à affronter de nouveau Sawyer ne lui souriait guère.

— Essayons plutôt de trouver un sens à ces lettres. Je suis certaine d'y arriver, même sans le dernier livre.

— Vous n'y parviendrez jamais. Nous devons tenter le coup !

Elle savait qu'il avait raison, même si elle se refusait à l'admettre. Elle avala péniblement sa salive.

— Et c'est moi, bien sûr, qui serai la chèvre.

— Exactement.

Ce plan ne lui disait rien qui vaille.

— Pourquoi pas vous ?

— Parce que vous êtes une proie facile qui fera sortir le grand méchant loup des bois.

Alexa se laissa tomber sur le lit, les sourcils froncés.

— Je serai surtout une proie morte s'il m'attrape.

— Il a oublié son revolver au motel, lui rappela Derek.

Alexa lui lança un coup d'œil affligé.

— Mon pauvre ami. Vous pensez qu'il n'est pas capable de s'en procurer un autre ? Ou de repasser derrière nous pour le récupérer après notre départ ? Personne n'a dû balayer sous ce lit depuis des siècles. Il lui aura suffi de louer la chambre et...

Derek s'assit à ses côtés et la prit dans ses bras.

— Cet homme nous attaquera tôt ou tard, il choisira son moment. En agissant ainsi, nous combattrons sur notre terrain. C'est le seul moyen de le surprendre. Et le plus sûr.

Il avait encore une fois raison, mais le savoir ne chassa pas la peur qui la tenaillait.

— Ce sera surtout sûr pour vous qui serez de l'autre côté de la rue.

— Il ne vous fera pas de mal. Il veut seulement les livres. Il suffit de lui fournir des copies.

— Et où les trouverons-nous ?

— Mais à la bibliothèque municipale, bien entendu ! N'oubliez pas qu'ils doivent ressembler à ceux que nous possédons.

Alexa fit un bond.

— Vous n'avez pas l'intention de les voler !

— Mais non. Nous allons les emprunter et les rendrons lorsque le trésor sera à nous.

L'idée fit frémir la bibliothécaire qui sommeillait toujours en elle. Mais comment faire autrement ?

Alexandra soupira. La liste d'ouvrages qu'elle aurait à expédier « après emprunt » ne cessait de s'allonger. Mais Derek avait mis au point le seul plan qui puisse marcher, à condition d'être chanceux et en supposant que Sawyer les suive toujours et soit vraiment en possession du dernier livre. Si la première de ces deux suppositions lui semblait plausible, la deuxième en revanche...

Mais si Sawyer possédait l'exemplaire manquant, ils devaient absolument s'en emparer pour compléter la carte.

— Nous retournons à la bibliothèque ? demanda-t-elle en se levant.

— Il le faut bien.

Au moment de sortir de la chambre, Alexa prit le sandwich qu'elle avait négligé pour mieux travailler. Il se passerait sans doute pas mal de temps avant qu'elle fasse un repas, se dit-elle, et elle aurait probablement besoin de reprendre des forces sous peu.

Le plan de Derek était simple. Il commença par louer une voiture, puis ils se rendirent à la bibliothèque. Là, pendant qu'il faisait du charme à la jeune femme qui se tenait derrière le bureau, Alexa se dirigea vers la collection Montaigne, déjà placée sur les étagères.

Elle repéra le legs sans difficulté. Mais comment s'emparer de deux livres ? Tout son être se refusait à cette trahison culturelle. Pourtant, c'était nécessaire.

Trouver deux exemplaires des pièces de Shakespeare reliés du même cuir fut un jeu d'enfant. Quant à les glisser dans son sac... Chaque fois qu'elle s'apprêtait à le faire, quelqu'un passait près d'elle ! La solution lui apparut enfin. Prétendant être absorbée par la lecture de l'un des ouvrages, elle se mit à marcher lentement, allant et venant entre les rayons surchargés. Elle avait remarqué en arrivant un coin moins fréquenté vers lequel elle finit par se diriger. Une fois certaine qu'on ne pouvait la voir, elle glissa rapidement le produit de son vol dans son sac, le cœur battant à tout rompre. Chaque jour, ce sac devenait un peu plus lourd !

— Espérons que ce sera mon dernier larcin, murmura-t-elle en se rapprochant de la porte.

Du coin de l'œil, elle vit que la bibliothécaire n'avait rien remarqué de son manège, trop absorbée par ce que lui racontait Derek.

Une fois dans la rue, elle alla s'asseoir dans la voiture de location et ferma les portières de l'intérieur. Puis, calmement, elle entreprit d'écrire une suite de chiffres au revers des couvertures des Shakespeare. Son travail la satisfit, mais sa conscience protesta vigoureusement.

Elle venait de finir lorsque Derek arriva. Il s'installa au volant.

— Phase deux, dit-il.

Alexa aimait encore moins la deuxième partie du plan que la première. Derek l'abandonna dans un sauna et alla faire le guet dehors pendant qu'elle enfermait ses affaires dans un casier et se rendait à la salle de sudation enveloppée dans une longue serviette rêche.

Si tout se passait bien, Sawyer, croyant qu'elle avait les livres avec elle, forcerait la porte du casier et volerait les copies. Derek fouillerait au même moment la voiture de l'exécuteur testamentaire indélicat et y prendrait le quatrième volume. Et s'il n'a pas de voiture ? avait-elle demandé. Derek l'avait assurée qu'il en avait certainement loué une pour suivre la leur.

Dieu, qu'il faisait chaud. Plus que dix minutes à attendre. Si Sawyer ne se manifestait pas, elle aurait pris une suée pour rien.

Lorsqu'Alexa sortit dans le hall du sauna, avec l'intention de retourner au vestiaire, elle le trouva désert. A l'exception d'un homme vêtu d'un complet de serge bleue !

— Alors, on se promène ?

Derek, appuyé contre le capot de la voiture de location, regarda sa montre. Un sourire éclaira son visage. Il avait eu raison sur toute la ligne.

Après avoir déposé Alexandra au sauna, il avait fait le tour du pâté de maisons et était revenu à temps pour voir Sawyer descendre de sa voiture et s'engouffrer dans l'institut de beauté. Crocheter la serrure de l'auto avait été un jeu d'enfant. Et le livre était là, dans la boîte à gants ! Henry V, comme l'avait prévu Alexa.

Maintenant, il ne lui restait plus qu'à attendre la sortie de Sawyer. Une fois celui-ci parti, il récupérerait Alexa et foncerait vers l'aéroport. Le temps que

Sawyer découvre la supercherie et le vol de son livre, ils seraient loin. Un plan parfait !

Du coin de l'œil, il remarqua un mouvement près de la porte du sauna. Sawyer s'en allait. Mais pas avec les copies déposées dans le casier. Avec Alexa !

— Vous ne vous en tirerez pas comme ça ! jeta-t-elle à l'adresse de l'avocat.

Comme il était difficile de prendre un air digne lorsqu'on se retrouvait dans la rue avec une serviette de bain pour tout vêtement. C'était là la brillante idée de Sawyer.

— Une femme à moitié nue ne tente pas de s'échapper, lui avait-il assuré en l'entraînant malgré ses protestations.

— Qu'allez-vous faire de moi ? lui demanda-t-elle lorsqu'il la poussa dans la voiture.

Au diable Derek et ses plans minables ! Pourquoi ne pouvait-il servir d'appât, plutôt qu'elle ?

Elle fit un effort pour se ressaisir. Surtout ne pas s'énerver. C'est en gardant son sang-froid qu'elle avait le plus de chance de s'en sortir.

Sawyer engagea la voiture dans la circulation. Alexa regarda autour d'elle : pas un seul policier en vue, pas trace de Derek.

— Détendez-vous. Votre petit ami va bientôt avoir de vos nouvelles. Je vais lui téléphoner à l'hôtel et lui dire que je vous tiens. Ensuite, je vous échangerai contre les livres.

— Les livres sont au sauna, dans mon casier.

— Ne recommencez pas à me raconter des histoires.

Il conduisait d'une main, tenant un pistolet dans l'autre, arme dont il la menaçait.

— Me prendriez-vous pour un imbécile ?

Non, un fou ! faillit-elle répondre. S'il arrivait à mettre son plan à exécution elle n'avait pas une chance sur mille de s'en sortir. Pourquoi laisserait-il derrière lui deux témoins gênants ?

Les feux de croisement passèrent brusquement au rouge et Sawyer dut freiner très fort pour éviter une grosse Thunderbird beige qui venait de stopper net. De la musique s'échappait par la vitre baissée.

— Quel imbécile ! S'il regardait devant lui au lieu d'écouter cette musique infernale, nous serions passés à l'orange.

Il se mit à insulter le conducteur de la voiture beige, les yeux fixés sur les feux· C'était maintenant ou jamais !

Alexandra ouvrit la portière et sauta sur la chaussée. Sawyer essaya d'attraper la serviette, mais sans y parvenir. Alexa se mit à courir à perdre haleine, dans le sens contraire de la circulation, car elle était persuadée que Sawyer ne pouvait abandonner sa voiture au milieu de la rue pour la poursuivre. Le temps qu'il fasse demi-tour, elle serait loin.

Serrant la serviette, elle courait toujours lorsqu'elle mit le pied sur un tesson de bouteille. Elle poussa un cri. Impossible de continuer, elle allait être reprise.

— Alexa ! Montez !

Derek ! Folle de joie malgré sa fureur contre lui, Alexa se jeta dans la voiture.

— Vous et vos plans ridicules !

Il démarra sèchement et fit un demi-tour sous le nez d'un autobus. Roulant à tombeau ouvert, il tourna plusieurs fois dans des petites rues tranquilles, ne ralentissant qu'après s'être assuré que Sawyer ne les suivait pas.

— Vous n'avez pas de mal ?

— Non, je vais bien. La prochaine fois que vous concoctez un de vos plans magiques, ne comptez pas sur moi !

— Je suis désolé. Vous a-t-il frappée ?

— Non, mais je me suis coupée sur une bouteille cassée.

Son talon saignait abondamment. Derek lui tendit un mouchoir.

— Tenez. Nous achèterons des pansements plus tard.

A moitié nue et le pied en sang. Quelle journée !

Derek s'arrêta près du trottoir et retira sa veste.

— Enfilez-la.

Alexa s'enveloppa dignement dans le vêtement.

— Avez-vous son livre ?

— Oui, il se trouvait dans la boîte à gants. Henry V, comme vous le pensiez.

— Ce brave Henry V ! Quel homme merveilleux.

Derek se pencha vers elle et l'embrassa.

— Pourquoi ce baiser ?

— Pour vous remercier d'être vivante.

Il descendit alors de voiture et entra dans une pharmacie.

Alexa le regarda s'éloigner, stupéfaite.

— Je suis fatiguée de vous voir forcer les serrures, même si c'est pour le bon motif.

Ils étaient blottis contre la porte de service du sauna et venaient de passer deux heures à rouler en tous sens pour s'assurer que Sawyer n'avait pas retrouvé leur trace. Maintenant qu'il faisait noir, ils pouvaient enfin se risquer à revenir au sauna.

— Avez-vous une meilleure idée ?

— Non !

— Dans ce cas, laissez-moi travailler en paix.

— Encore une de vos brillantes idées... Si nous n'avions pas décidé d'attirer Sawyer dans ce sauna, à votre instigation, je ne serais pas à moitié nue ni blessée.

— Alexandra, si vous ne vous taisez pas, le veilleur de nuit va nous entendre. Comment lui expliquerez-vous votre tenue indécente ?

Elle serra sa veste contre elle et ne répondit pas. Si un regard avait pu tuer, Derek serait tombé raide à ses pieds.

La porte s'ouvrit silencieusement et il la poussa à l'intérieur. Il n'y avait qu'une veilleuse allumée dans le hall, ce qui donnait à l'institut de beauté un air fantomatique. Alexa retint son souffle, s'attendant à voir surgir Sawyer avec son gros pistolet. Elle agrippa le bras de Derek.

— Je crois que les vestiaires sont par là, chuchota-t-elle en désignant un couloir.

Deux portes battantes donnaient en effet sur la salle où se trouvaient les casiers.

— C'est lequel ? lui demanda Derek à l'oreille.

— Je ne m'en souviens pas !

Le trou de mémoire !

Du coin de l'œil, elle accrocha le regard incrédule de Derek.

— Vous croyez qu'il est facile de se rappeler d'un numéro de casier lorsqu'on vient de courir dans les rues de Charleston seulement vêtue d'une serviette !

— Réfléchissez, la pressa-t-il.

Alexandra ferma les yeux et essaya de se revoir entrant dans le vestiaire. Elle était passée devant plusieurs rangées de casiers puis...

— Je crois que c'est le numéro treize.

Le numéro treize était vide !

Alexandra se laissa tomber sur un banc. Quelqu'un avait pris ses vêtements et son sac. Derek avait les livres, soigneusement cachés dans la voiture de location, mais son sac contenait sa carte de crédit et tous ses papiers d'identité. A l'idée de les avoir perdus, elle se sentit encore plus nue et vulnérable.

Derek se mit à ouvrir tous les casiers, à la recherche d'un vêtement oublié qu'elle puisse utiliser. Très vite, plusieurs rangées de casiers furent forcées. Rien ! Pendant qu'il attaquait la suivante, Alexa se mit à maudire son destin. Il faisait nuit, les boutiques étaient fermées, impossible d'acheter de quoi s'habiller. Il y avait bien les affaires qu'elle avait déposées à l'hôtel, mais Derek avait décidé qu'ils n'y retourneraient pas, Sawyer les y attendant certainement.

Ayant passé un moment avec Sawyer, elle était maintenant persuadée qu'il était homme à se venger avec le plus grand plaisir, et elle n'avait aucune envie de lui faire cette joie.

Mais il lui fallait des vêtements. N'importe lesquels.

— Ils étaient dans le casier 113, dit Derek en venant se planter devant elle.

Il tenait son tailleur et son sac sous le bras. Ses sous-vêtements et sa blouse dansaient au bout de son doigt.

— Je ne sais encore si je vais vous embrasser ou vous assommer, grommela-t-elle en lui arrachant ses affaires des mains.

— Ne pourriez-vous tout simplement me remercier ?

— Non ! Nous n'en serions pas là si vous n'aviez eu cette idée géniale.

Se débarrassant de la veste, elle commença à s'habiller à la hâte.

— Si j'avais utilisé ma perceuse comme un fusil la première fois que je vous ai rencontré, vous ne m'auriez pas entraînée dans cette histoire insensée.

Elle était si furieuse qu'elle en avait oublié de baisser la voix.

Ils entendirent soudain un bruit de pas.

— Qui est là ? demanda une grosse voix.

Alexa leva brusquement la tête. Derek posa un doigt sur ses lèvres.

— Le garde, murmura-t-il.

Ramassant ses chaussures et son sac, elle se redressa d'un bond. Derek avait déjà enfilé sa veste et se dirigeait vers la sortie.

— Je suis armé ! cria le veilleur de nuit. Sortez de là !

— C'est ce que nous allons faire, mon vieux,

répondit Derek en prenant ses jambes à son cou.

Lorsqu'ils arrivèrent à la voiture, le pied d'Alexandra s'était remis à saigner.

— Derek, je ne sais pas si je pourrai en supporter plus, lui dit-elle en s'asseyant à ses côtés.

Il mit le contact en riant.

— Je suis certain du contraire.

Pourquoi n'arrivait-elle à partager cet optimisme à toute épreuve ?

Chapitre 14

Alexandra était morte de fatigue. Mais elle insista pour décoder les livres immédiatement. Après avoir fui Charleston, ils passèrent la nuit dans la ville suivante, dans un petit hôtel. Derek s'était attendu à la voir s'écrouler d'épuisement, mais il n'en fut rien. Dédaignant le repas qu'il avait fait monter dans la chambre, elle prit l'exemplaire de Henry V et commença à aligner des lettres sur une feuille de papier.

— Cela ne ressemble à rien, dit-il à la longue en examinant son travail, tournant la feuille en tous sens.

— Peut-être, mais toutes les indications sont cachées là.

Elle reprit les feuillets.

— J'ai l'impression de lire le dernier chapitre du Ulysse de Joyce. Trente pages sans ponctuation. Quel casse-tête !

Derek s'assit sur le lit.

— Vous êtes très cultivée.

— Ce ne sont que des connaissances livresques.

Quant à la vie, c'était une autre histoire. Au fond, Alexandra n'avait jamais vraiment vécu, surtout si elle comparait son existence à celle que menait Derek.

— Nous savons que notre sympathisant sudiste... Au fait, comment s'appelait-il, déjà ?

— Ezra Stone.

— Eh bien, cet Ezra Stone était un homme méthodique. Il est donc très probable qu'il a écrit son message, ou sa carte, en respectant la chronologie. Les deux Henry IV, puis Henry V, et enfin les Commères.

Elle prit la feuille correspondant à la première partie de Henry IV.

— Concentrons-nous, pour commencer, sur ceci.

— Vous feriez mieux de dormir, lui conseilla Derek.

— Dans une minute.

Derek s'étira, puis se redressa. Il ramassa à son tour un feuillet.

— Ce que vous pouvez être têtue ! Bon, je vais vous aider.

Chacun de son côté, Alexa sur la table, Derek sur le lit, ils se mirent à travailler. Derek, lui, s'endormit presque aussitôt. Après lui avoir lancé un coup d'œil affectueux, Alexandra se plongea dans sa longue liste alphabétique.

Elle lut et relut la suite de lettres sans signification jusqu'à en avoir mal aux yeux. Et soudain, ce fut l'illumination ! Là, au bas de la page.

« allezlàoùjaiétéemprisonné ». Allez là ou j'ai été emprisonné !

Un long frisson la parcourut. Elle étudia le feuillet de nouveau, sans rien trouver. Le reste des lettres n'était là que pour cacher cette phrase. Ezra Stone avait dissimulé son message au milieu d'un bataillon de lettres sans intérêt.

S'emparant du deuxième feuillet, elle trouva la suite des indications au milieu de la page.

« atrentesixkilomètresdelaville ». A trente-six kilomètres de la ville.

La page trois décrivait l'emplacement.

« trouvezlebouquetdesaulesmarquezenlecentre ». Trouvez le bouquet de saules. Marquez-en le centre.

Et maintenant ? Les mains tremblantes, elle alla arracher la dernière feuille de celles de Derek qui dormait toujours.

— Derek, réveillez-vous !

— Je ne dors pas, je réfléchis.

— Eh bien, réfléchissez donc sur ceci.

Elle lui mit les trois premières parties du code déchiffré sous le nez.

Harpers Ferry avait beaucoup changé depuis que le train y avait été attaqué, plus de cent ans plus tôt, mais Alexandra était prête à parier que les transformations n'étaient qu'apparentes. Les quatre cents habitants de la petite ville devaient toujours avoir l'âme sudiste. Pourtant, la cité était entièrement dédiée à la mémoire de John Brown qui avait lutté toute sa vie contre l'esclavage et avait été pendu par les sudistes pour avoir attaqué un arsenal. Trouveraient-ils un indice dans ce coin perdu ?

— Le meilleur endroit pour glaner des renseignements doit être le journal local, lui dit Derek en passant devant le musée de cire John Brown.

Alexa s'agita sur son siège. Elle était totalement épuisée.

— Existe-t-il un journal local ? Cette ville est si petite. On dirait que la vie s'y est arrêtée au lendemain de la guerre de Sécession.

Une multitude d'émotions la parcourait : l'excitation d'approcher du but, bien sûr, puis les inquiétudes que lui causait le fait de savoir Sawyer à leur poursuite. Où qu'ils aillent, ils le trouvaient toujours sur leur chemin. Avait-il deviné qu'ils avaient mis le cap sur Harpers Ferry ?

Il y avait surtout la fin de l'aventure qui approchait. Même en supposant qu'ils évitent Sawyer et découvrent l'or, que se passerait-il ensuite ? Sawyer n'abandonnerait pas facilement un trésor et s'acharnerait probablement sur eux. Et Derek ? Partirait-il ? Après tout, il n'avait pas de raisons de rester avec elle après avoir reçu sa part du butin. Il continuerait certainement à mener cette vie flamboyante, tandis qu'elle retournerait s'enfermer dans sa bibliothèque, y cataloguant la vie des autres.

Evidemment, elle deviendrait la plus riche bibliothécaire de New York. Cinquante mille dollars ne représentaient plus autant d'argent qu'au jour de l'attaque du train, mais ce n'était pas une somme à négliger. Cette petite fortune lui permettrait-elle d'oublier Derek ?

Alexandra en doutait.

Jamais la vie ne lui avait paru si compliquée.

— Vous avez l'esprit ailleurs, observa Derek en se garant devant l'auberge de la ville.

— Je pensais à la carte, mentit-elle.

— Sans vous, je n'aurais certainement pas réussi à déchiffrer ce code.

— Qu'allons-nous faire, maintenant ?

Derek baissa la voix.

— Nous allons poser une foule de questions au réceptionniste de cet endroit charmant. Ce sera plus facile et plus rapide que de courir après des renseignements.

Il se transforma alors en un autre personnage sous ses yeux.

— Salut, lança-t-il au jeune homme qui se tenait derrière le comptoir en lui tendant la main. Je suis H. F. Bradley.

Son accent du sud avait disparu, faisant place à un solide accent new-yorkais.

— Je suis venu prendre des vacances studieuses dans votre belle ville, ajouta-t-il.

Alexa le regarda signer le registre de l'auberge. Son écriture, aussi, était autre. Plus large, plus sinueuse. Il exécuta un énorme paraphe qui prit toute la largeur de la page. C'était comme si tout en lui venait de changer. Qui aimait-elle ? Qui était le véritable Derek Montaigne ? Derek Montaigne existait-il seulement ? Après tout, ce nom était peut-être un de ses nombreux pseudonymes. L'idée la mit mal à l'aise. Aimer un caméléon n'était pas chose aisée.

Le réceptionniste sourit, totalement débordé. Derek ne lui donna pas le temps de poser la moindre question.

— Nous arrivons de New York où je travaille pour le *New York Times,* déclara-t-il en montrant une carte à l'homme.

Il la lui passa si vite sous le nez que l'autre n'eut pas le temps de la lire. Ce qui était aussi bien car il s'agissait de son permis de conduire.

— Nous aimerions discuter avec le rédacteur en chef du canard local. Où peut-on le trouver ?

Le jeune homme leur tendit une clef.

— A la Gazette de Harper, un peu plus bas dans la rue.

Derek hocha la tête.

— Je n'ai pas très bien compris son nom.

Le garçon n'avait rien dit, mais tout allait si vite qu'il ne s'en souvint pas. Il faillit même s'excuser.

— Horace Waterly, balbutia-t-il.

Dans la rue, Derek poussa Alexa dans la voiture.

— Mais c'est tout près ! protesta-t-elle.

— Selon ce que nous trouverons, nous ne reviendrons peut-être pas à l'hôtel.

Elle s'installa à côté de lui.

— Rien ne vaut une vie stable et tranquille, grommela-t-elle.

— La stabilité est donc si importante pour vous ?

Non, elle ne l'était plus... depuis qu'elle l'avait rencontré.

— Il est parfois agréable de coucher deux nuits de suite au même endroit, murmura-t-elle.

Derek ne répondit pas. L'ennuyait-elle ? Cherchait-il déjà un moyen de se débarrasser d'elle ?

La voiture stoppa devant un vieil immeuble en bois de deux étages à la peinture écaillée. Ils y pénétrèrent et découvrirent une salle de rédaction comme on en voyait encore dans certains films de 1930.

Le bureau vitré du rédacteur en chef se trouvait au fond de la salle et ils s'y rendirent sous le regard curieux d'employés qui frappaient comme des sourds sur d'antiques machines à écrire tout juste bonnes pour le musée.

Un gros homme se leva en les apercevant. Il était légèrement chauve, rubicond, et ressemblait à une grosse poire montée sur deux allumettes. Une poire dotée d'une voix de stentor.

— Que puis-je faire pour vous ? demanda-t-il en remontant son pantalon qui glissait sur sa bedaine.

— H. F. Bradley, du *New York Times,* se présenta Derek.

Le regard las de l'homme s'éclaira. Il serra la main de son collègue avec empressement.

— Puis-je vous être utile, monsieur Bradley ?

Il n'avait pas lâché la main de Derek, s'attendant sans doute à ce qu'Alexa prenne une photo, et espérant secrètement faire la une du *New York Times.* Comme elle ne bougeait pas, il soupira et lâcha Derek.

— Nous cherchons de bonnes vieilles histoires du sud pour faire un papier, dit Derek.

— Vous ne pouviez mieux tomber, mon vieux. Nous avons ici la tombe de John Brown et...

— Non, non ! Cela a déjà été traité des centaines de fois. Tout le monde connaît John Brown.

— Je vois.

Il se frotta le menton.

— Il y a aussi le fait que la Révolution a commencé ici, et non à Bunker Hill.

Derek hocha la tête.

— Voilà qui nous intéresse déjà plus.

L'homme, ravi, offrit un cigare à Derek, lui indiquant un fauteuil fatigué d'un signe de tête.

— Si mon assistante et moi-même pouvions avoir accès à votre collection de vieux numéros... Nous ne voulons pas vous déranger. Vous semblez avoir du travail par-dessus la tête.

Horace Waterly regarda sa table de travail en soupirant. Elle était couverte de piles de dépêches et d'un fouillis indescriptible. Il n'avait pas l'air d'avoir très envie de se remettre à l'ouvrage.

— Je pourrais peut-être vous aider? Il y a un tas de gens par ici qui...

— Nous sommes à la recherche de très vieilles légendes, l'interrompit Alexandra.

Le bonhomme sembla la remarquer pour la première fois et lui lança un long regard admiratif. Il faut dire qu'Alexa avait pris sa voix la plus douce.

— La guerre d'Indépendance?

— Par exemple.

Derek se leva.

— Si vous pouviez nous montrer le lieu où vous conservez vos vieilles coupures...

— Bien sûr. Suivez-moi.

Ils traversèrent derrière lui la salle de rédaction et pénètrèrent dans une petite pièce sentant la poussière. Quel désordre!

Dans un coin, une énorme machine : le lecteur de micro-fiches de la Gazette. Evidemment, l'informatique était encore inconnue dans ces régions éloignées de tout.

Waterly retira la housse de plastique qui recouvrait l'appareil et sourit d'un air gêné.

— Désolé. C'est un peu poussiéreux. Il y a des siècles que personne n'a consulté nos fiches.

— Cela se voit, ne put s'empêcher de répondre Alexa.

Cette pièce la rendait claustrophobe. Il y avait des piles de vieux journaux partout, attendant d'être transférés sur films.

Waterly se dirigea vers un gros meuble à tiroirs. Ceux-ci n'avaient pas dû être ouverts depuis des années et protestèrent bruyamment lorsqu'il les tira à lui.

— Nous conservons les plus vieilles microfiches ici.

Alexa jeta un coup d'œil. Rien n'était classé. Les fiches étaient contenues dans de petites boîtes, mais sans une date. Elle lança un regard désespéré à Derek qui l'observait en souriant comme si de rien n'était. Evidemment, ce serait certainement elle qui ferait les recherches, comme d'habitude. Quelle association !

— Puisque votre ville est surtout célèbre à cause de John Brown, nous pourrions peut-être commencer par là. Où se trouvent les fiches concernant la guerre de Sécession ?

Waterly se gratta de nouveau le menton.

— Sans doute dans cette boîte, mais je ne pourrais

en jurer. Je suis ici depuis quinze ans et j'ai hérité de ce désordre. L'ancien rédacteur en chef était très brouillon, confia-t-il à Derek.

Curieusement, il ne semblait plus avoir très envie de les aider. Il gagna la porte.

— Dites-moi si je peux vous être d'une aide quelconque, ajouta-t-il d'un air important avant de s'éclipser.

— Quel capharnaüm ! s'écria Alexa après son départ. Je suis certaine que toutes les chattes de la ville viennent mettre bas ici.

Elle observa la machine d'un air désolé. Derek, pendant ce temps, farfouillait dans les tiroirs.

— Essayons cette boîte.

— Vous croyez que c'est la bonne ?

— Qui sait ? En tout cas, si l'épaisseur de la poussière est une indication, nous ne devons pas être loin.

— J'ai l'impression de chercher une aiguille dans une meule de foin, grommela-t-elle.

Pourquoi le code ne donna-t-il pas l'emplacement exact du trésor ?

— Il n'y a même pas d'air conditionné.

Une fois sa part du trésor en poche, elle partirait pour l'Alaska, se promit-elle.

— Nous ne restons pas ici longtemps, déclara-t-il en lui tendant la boîte qu'il avait choisie.

— Tout dépend de ce que vous entendez par longtemps, maugréa-t-elle.

Il l'embrassa sur le sommet du crâne.

— Je vous promets que nous serons repartis avant Noël.

— Merveilleux !

Elle mit la machine en marche. Un bruit ressemblant à celui d'un aspirateur se fit aussitôt entendre et l'écran s'illumina. Alexa plaça le premier film.

— Pourquoi n'ont-ils pas attaqué le train à Charleston ? Là-bas, au moins, leurs archives sont classées sur ordinateur.

— J'en parlerai à notre sudiste si je le rencontre un jour. Quelle date avez-vous ?

— 1890. Passez-moi un autre film.

Derek s'accroupit et fouilla dans la boîte.

— Il y avait autrefois des étiquettes sur les bobines, mais elles se sont décollées.

Dcux heures plus tard, ils en étaient toujours au même point.

— Derek, j'ai faim.

Elle avait l'impression de ne rien avoir mangé depuis des jours et ne se souvenait même plus de son dernier repas.

— Je vais essayer de trouver quelque chose. Cela ne vous dérange pas si je vous laisse seule ?

Il jeta un regard à la pièce vétuste.

— Pas du tout. Que peut-il m'arriver ici ? Au pire, je risque de devenir aveugle à force de consulter ces documents mangés aux mites. Finalement, nous avons quand même progressé, il ne reste pas beaucoup de films à visionner.

— Courage, je reviens.

Il l'embrassa et sortit.

Alexa soupira. Elle adorait le savoir auprès d'elle. Pour ne pas trop penser à certaines nuits, elle se replongea dans son travail. Au fond, l'action était un dérivatif parfait. Elle sourit, cligna plusieurs fois des yeux pour en chasser la poussière et plaça un nouveau film dans l'appareil.

Mais Derek occupait plus son esprit que la chasse au trésor. Il fallait qu'elle trouve un moyen de le convaincre qu'elle lui était absolument nécessaire. D'une manière ou d'une autre, elle devait découvrir une façon de se rendre indispensable.

Elle sourit de nouveau. Voilà qu'elle devenait optimiste à son tour ! Sans doute Derek déteignait-il sur elle... Machinalement, elle tourna la grosse manette qui faisait progresser le film. Le logo de la Gazette apparut, puis une date, Mars-1-1865. Elle soupira. Derek ! Quand verrait-il les choses sous le même angle qu'elle ?

Alexandra cessa brusquement d'enrouler le film. Fixant intensément l'écran, elle revint en arrière. Le premier mars. Derek n'avait-il pas dit que l'attaque du train avait eu lieu juste avant la fin de la guerre ? Son cœur se mit à battre plus vite. Avait-elle enfin trouvé un indice ? Elle commença à lire le premier article, puis le suivant.

Un bruit retint son attention.

— Déjà de retour ? lança-t-elle sans se donner la peine de tourner la tête.

Ne recevant pas de réponse, elle regarda derrière elle. Il n'y avait personne dans la pièce. Son sang ne fit qu'un tour, ses cheveux se dressèrent sur sa tête.

— Il y a quelqu'un ?

Question idiote. La pièce était vide et il n'y avait qu'une porte pour y pénétrer.

Une porte qu'elle pouvait voir. Mais il pouvait y en avoir une autre cachée par les rayonnages.

Alexa haussa les épaules. Elle divaguait. Pourquoi ne se remettait-elle pas au travail au lieu de laisser son imagination lui jouer des tours ?

De nouveau le bruit. Elle fit un bond.

Une ombre, là, derrière les rayons chargés de vieilles copies du journal... Une silhouette pas beaucoup plus grande qu'elle. Sawyer ! Elle avala péniblement sa salive.

— Ce ne sera pas aussi facile que l'autre jour ! s'écria-t-elle. J'ai un revolver dans mon sac. Pourquoi ne renoncez-vous pas et ne rentrez-vous pas chez vous pour vous occuper d'autres legs ? Et je vous prie de cesser de nous suivre !

— Je ne comprends pas ce que vous dites, madame, répondit une petite voix haut perchée.

Alexandra stupéfaite, vit s'avancer un gros garçon d'environ quatorze ans. Il était roux et couvert de taches de rousseur.

— Ne dites pas à papa que vous m'avez surpris ici, la supplia-t-il.

— Monsieur Waterly ?

Le garçon hocha la tête.

— Je suis Billy Waterly. Je voulais seulement voir un grand reporter en action. Mais vous ne faites presque rien, ajouta-t-il d'un ton chagrin en désignant la machine de la tête.

— C'est l'impression que je donne, sans doute, pourtant, crois-moi, ma tâche n'est pas facile.

Le visage du jeune Waterly s'anima soudain.

— Vous portez vraiment une arme ?

— Non, j'ai dit cela pour te faire peur.

Il la regarda d'un air désappointé.

— Je crois que je ferais mieux de partir.

Alexa faillit éclater de rire. Les grands reporters venaient de baisser d'un cran dans l'estime de ce petit provincial. Elle posa une main sur son épaule.

— Comment es-tu entré ?

— Il y a une porte derrière ces étagères.

— Un passage secret ? demanda-t-elle en souriant.

— C'est un peu ça. C'est un bon emplacement pour observer les gens.

Alexa le regarda disparaître comme un passe-muraille, et reporta son attention sur la machine en souriant. Elle s'assit et regarda l'écran.

Ses yeux accrochèrent alors un gros titre.

ATTAQUE SPECTACULAIRE D'UN TRAIN ! LE BUTIN N'EST PAS RETROUVE.

Chapitre 15

Prise par le récit du hold-up et par celui de la capture du faux agent de Pinkerton, Alexandra n'entendit pas Derek revenir. Lorsqu'il posa la main sur son épaule, elle poussa un cri de frayeur.

— Du calme. Ce n'est que moi. Qui attendiez-vous ?

Elle laissa échapper un long soupir de soulagement.

— Je ne peux m'empêcher de penser à Sawyer. Et s'il surgissait maintenant ?

Derek secoua la tête.

— Sawyer va très probablement attendre que nous trouvions l'or avant de se manifester. C'est à ce moment-là qu'il faudra être vigilants.

Alexa l'observa un instant en silence.

— Qu'est-ce qui vous rend si sûr ?

— Mon instinct.

— Voilà qui est très scientifique.

Il prit le sarcasme avec philosophie.

— Mon instinct m'a guidé toute ma vie, et je suis toujours vivant.

— C'est ma foi vrai.

Elle se remit à lire l'article.

— Je croyais que vous aviez faim ?

Il ouvrit un sac en papier et lui tendit cérémonieusement un sandwich enveloppé de papier sulfurisé.

Alexa le prit sans même le regarder.

— Alors ? demanda-t-il en retirant le papier du sien.

— Humm… fit-elle en attaquant distraitement son sandwich.

Il n'était pas bon.

Derek le laissa brusquement tomber sur la table.

— Pourquoi ne rien m'avoir dit ?

— J'attendais un moment propice.

Alexa tapota l'écran.

— Tout y est. L'attaque du train, la capture du chef du commando qui se faisait passer pour un détective de la fameuse agence Pinkerton… Cela s'est passé au sud de la ville. On décrit même le bouquet de saules.

Elle observa son profil pendant qu'il lisait l'article à son tour. Une lueur d'excitation passa dans son regard. Soudain, il la prit dans ses bras, envoyant valser le sandwich sur le parquet poussiérieux.

— Vous avez réussi ! s'exclama-t-il avant de l'embrasser.

Ce baiser ne lui était pas vraiment destiné, aussi se laissa-t-elle faire, passive. Derek ne sembla pas s'en apercevoir. Il prenait déjà des notes.

— C'est le seul article à ce sujet ?

— Je ne sais pas. Je n'ai pas eu le temps de lire la suite. Ramassez donc ce sandwich qui souille le parquet pendant que je parcours rapidement le reste du film.

— Je vous achèterai un restaurant, promit-il en se penchant.

— Un autre sandwich me suffira, grommela-t-elle en se remettant au travail.

Elle ne trouva rien d'intéressant à part une description de la pendaison se terminant en une envolée déclarant que justice était faite.

— Ces gens semblaient adorer les pendaisons, dit-elle à Derek.

— Que voulez-vous, avant l'arrivée de la télévision dans les chaumières, les spectacles étaient rares.

Alexandra frissonna. Et maintenant ? Ils possédaient tous les indices. Il ne leur restait plus qu'à trouver l'endroit exact et l'or. Et à éviter Sawyer ! Elle avait peur, inutile de se le cacher.

— Pourquoi cet air sombre ? demanda Derek en retirant le film de la machine.

— Sawyer, répondit-elle en se levant.

Derek vint se placer derrière elle et passa les bras autour de sa taille.

— Ne vous inquiétez pas. Je ne le laisserai pas vous faire du mal.

Alexandra fut réconfortée un instant. Se blottir tout contre Derek... Mais après ? Que lui resterait-il lorsqu'il s'en irait ?

Il l'embrassa dans le cou, puis s'écarta comme à regret.

— Ne croyez-vous pas qu'il serait temps d'agir ? Si nous nous dépêchons, nous trouverons peut-être l'or avant que Sawyer nous ait rattrapés.

Pour une fois, Derek ne semblait pas optimiste. Sawyer représentait une menace qui n'était pas négligeable. Mais il n'insista pas, ne voulant pas inquiéter Alexa plus qu'elle ne l'était déjà.

Comme ils sortaient de la pièce, il entendit un bruit derrière les rayonnages.

— Qu'est-ce que c'est ? s'enquit-il en faisant mine de revenir en arrière.

Alex lui prit le bras et l'entraîna.

— Ce n'est que le fils du rédacteur en chef : il adore espionner les journalistes.

Derek lui adressa un coup d'œil étonné.

Elle se tourna vers le mur du fond.

— Désolée, Billy, au revoir !

Ils n'aperçurent pas Sawyer qui les observait de sa cachette…

Après avoir promis à Waterly de revenir prendre des photos, ils reprirent la voiture. En s'y installant, Alexa nota qu'une pelle et une pioche se trouvaient sur le siège arrière.

— Où vous êtes-vous procuré ces outils ?

— La quincaillerie est tout à côté de la cafétéria.

— Il ne nous manque plus qu'une carte de la région.

Derek ouvrit la boîte à gants.

— J'ai acheté tout cela à l'unique station-service de la ville, dit-il en démarrant. Trésor, nous voilà !

En utilisant la carte du garage et les indications recueillies dans les livres, ils roulèrent une quarantaine de kilomètres en direction du sud. Derek finit par s'arrêter sur le bas-côté.

— Etes-vous sûr que c'est bien l'endroit ? demanda Alexandra.

Le paysage était nu. Pas trace de saules. Evidemment, on les avait peut-être coupés.

— L'article disait à trente-six kilomètres au sud de la ville. Cependant...

— Oui ?

— La ville était sans doute plus petite à l'époque. Ce qu'il nous faudrait, c'est une carte nous indiquant les limites de la ville en 1865.

Il démarra.

— Une autre carte ? Où allons-nous ?

Derek fit demi-tour.

— En ville. Nous aurons ce renseignement au cadastre.

— Comme tout ceci est compliqué !

Il lui sourit.

— Je sais. Mais c'est aussi très amusant.

— Ce genre d'intrigue vous passionne, n'est-ce pas ?

— Bien sûr. Si une chose ne vous amuse pas, pourquoi s'en occuper ? La vie est trop courte pour perdre son temps à des tâches ennuyeuses, Alexa. Une fois que l'on sait ce qui peut rendre heureux, il faut foncer.

Alexandra ne répondit pas. Que dirait Derek si elle lui déclarait que c'était lui qui pouvait la rendre heureuse et qu'elle avait décidé de tout faire pour connaître le bonheur en sa compagnie ?

Il n'y avait évidemment pas de cadastre à Harpers Ferry. Alexa n'en fut pas étonnée. Une si petite ville...

— Vous pourriez vous rendre au siège du comté, leur dit le réceptionniste de l'auberge. Là-bas, ils ont toutes les cartes possibles.

— Où est-ce ? demanda Derek.

— C'est la capitale de l'état.

Alexa ne put retenir un gémissement. Des heures de routes !

— N'existe-t-il pas en ville un vieillard qui s'intéresse aux légendes locales ? s'enquit-elle. Quelqu'un qui pourrait nous aider ?

Le jeune homme hésita imperceptiblement.

— Certainement. Mais je ne sais pas si vous obtiendrez beaucoup d'informations de Silas.

— Pourquoi ? Il est trop vieux ?

— Non, mais ivre la plupart du temps.

Alexandra regarda Derek.

— Pourquoi ne pas essayer ? Ce sera toujours mieux que d'avoir à rouler jusqu'à Charleston.

Derek éclata de rire.

— Je le savais. Vous avez enfin attrapé la fièvre de l'or.

— J'essaye simplement de gagner du temps.

Le réceptionniste les observait, n'y comprenant rien.

— Où peut-on trouver ce Silas ? lui demanda Alexa.

— A la taverne locale. Dedans ou dehors.

Silas était dehors. Impossible de le confondre avec un autre. C'était un petit homme sec au visage couperosé. Il se tenait près de la porte de la taverne, à deux pas d'une enseigne au néon qui proclamait en lettres d'un vert agressif les mérites d'une marque de bière. Dans ses yeux, l'expression d'un amant trop longtemps séparé de sa belle.

Habillé correctement, lavé et rasé, il aurait ressemblé à un homme ordinaire de soixante-soixante-dix ans. Tel qu'il était, il paraissait aussi vieux que les collines qui ceinturaient la ville. Difficile de lui donner un âge, se dit Alexandra en s'approchant. Son visage était tellement ravagé, son expression si morne qu'on se sentait pris de pitié dès qu'on l'apercevait.

— Silas ?

Son regard éteint sembla reprendre vie et il tenta sans trop de succès de s'incliner devant elle. Son chapeau tomba, découvrant une touffe de cheveux blancs.

— Que puis-je faire pour vous, belle dame ?

Alexa fut surprise par sa voix claire et grave, une belle voix mâle qui surprenait sur le seuil de cette taverne minable.

— On nous a dit que vous pourriez sans doute nous donner quelques informations sur cette ville autrefois, déclara Derek en venant se placer à ses côtés et en passant un bras autour de ses frêles épaules.

— C'est possible, c'est possible...

Un expert. Un aventurier déchu. Il ne serait pas facile de le faire parler, à moins d'y mettre le prix. Derek finirait-il ainsi ? Non, pas Derek. Il possédait trop l'esprit de survie. Il vivrait de rêves, pas d'alcool.

— Malheureusement, ma gorge est horriblement sèche.

Silas regarda en direction de la porte du bar.

— Pourquoi ne pas poursuivre cette agréable conversation à l'intérieur ?

Derek sortit son portefeuille et en tira un billet de vingt dollars. Lorsque Silas tendit la main, il le tint hors de sa portée.

— Nous discuterons maintenant, pendant que vous avez encore toute votre tête.

— Nous n'avons besoin que d'un tout petit renseignement, précisa Alexa.

Le vieil homme ne quittait pas des yeux le billet.

— De quoi s'agit-il ?

— A l'hôtel on nous a dit que vous viviez ici depuis longtemps.

— J'y ai vécu toute ma vie, comme mon père et mon grand-père... Un tout petit verre ! supplia-t-il. J'ai la langue sèche comme de l'amadou.

Derek hocha la tête mais ne bougea pas.

— Dès que vous aurez répondu à notre question, et ce ne sera pas long. Votre grand-père vous a-t-il jamais déclaré que la ville était plus petite de son temps ?

Silas cessa de fixer le billet et leva la tête.

— Pardon ?

— Nous sommes des reporters et désirons écrire un article sur l'attaque d'un train en 1865. Le journal de l'époque raconte que le chef des bandits fut capturé à trente-cinq kilomètres environ au sud de la ville, près d'un bouquet de saules. Nous voudrions prendre des photos de l'endroit et nous demandions si...

— Où est votre caméra ?

— Dans la voiture. Nous voulons savoir si les distances sont les mêmes maintenant que dans le temps.

— Non. La ville est plus petite maintenant. Les jeunes s'en vont. Il n'y a pas de travail pour eux par ici.

Il se drapa dans sa vieille veste comme dans une toge.

— Ceux qui restent, comme moi, vivent misérablement.

— Nous ne sommes pas allés assez loin ! s'écria Alexa.

— Tenez, Silas, c'est pour vous, dit Derek en glissant le billet dans la main du vieillard.

Silas se précipita dans la taverne avant qu'ils aient le temps de lui dire au revoir.

Une demi-heure plus tard, ils aperçurent le bouquet de saules. Ce ne pouvait être que là, les arbres paraissant plus que centenaires. L'endroit exact où avait eu lieu la capture du chef du commando sudiste !

Pas le moindre signe de Sawyer. Alexa commença à espérer échapper à ce poursuivant implacable.

Derek gara la voiture au bord de la route de terre et en descendit, prenant la pelle avec lui. Il la posa sur son épaule et suivit Alexa jusqu'à un point qui semblait être le centre du bosquet. Un gros rocher moussu s'élevait là, comme une sentinelle. C'était de cet endroit qu'il fallait partir.

— Bon, dit Alexandra en sortant le quatrième

feuillet. Il est écrit qu'il faut faire cinquante pas vers le nord-est, puis trente vers le sud, puis...

— Du calme ! Je ne suis pas Superman.

Il compta cinquante pas, changea de direction, puis se remit à marcher, disparaissant bientôt derrière les arbres. Alexa se précipita derrière lui et s'arrêta net.

— Mais c'est une grotte !

Une énorme formation de rochers entourant l'entrée béante d'une caverne. Un long frisson de peur la parcourut.

— Le trésor doit être caché là-dedans, murmura Derek.

— Le texte ne parle pas de cette cavité, répondit Alexa en se mordant la lèvre, terriblement angoissée.

— Mais il indique sa direction sans erreur possible. Qu'est-ce qui vous prend ?

— Je n'aime pas l'idée de m'enfoncer sous la terre.

Rien qu'à y penser, elle se mit à trembler.

Mais Derek n'était pas prêt à abandonner si près du but. Il se fit persuasif.

— Vous prenez bien l'ascenseur, non ? Que penser d'une petite cabine suspendue à un simple fil ? Ici, au moins, vous aurez les deux pieds sur terre.

Et des tonnes de roches sur la tête !

— Bon, bon, montrez-moi le chemin.

Elle serra les dents et le suivit. Mais très vite, il fit trop sombre pour pouvoir lire les instructions.

— Retournons en ville chercher une lampe, proposa-t-elle.

— Inutile. J'ai une torche électrique dans la voiture.

— Attendez-moi ici, je vais la chercher, dit-il.

— Ici ? Certainement pas. Je préfère patienter à l'extérieur, si vous n'y voyez pas d'inconvénient.

Une fois dehors, Derek posa la pelle sur le sol et s'éloigna. Alexandra se plongea dans l'étude de la carte parlée, se demandant si elle avait oublié un détail concernant la grotte. C'était une omission invraisemblable. Ezra Stone n'aurait certainement pas oublié de la mentionner. A moins qu'elle ait mal interprété le texte.

— Ce n'est peut-être qu'une ruse, lança-t-elle à Derek qu'elle entendait revenir.

— J'espère bien que non.

Ce n'était pas la voix de Derek !

Alexa leva la tête. Avant d'avoir le temps de réagir, elle aperçut Derek, les mains sur la tête, suivi de Sawyer, un pistolet à la main.

— Regardez ce que j'ai trouvé dans le coffre de la voiture ! s'écria Derek.

Il semblait terriblement calme pour un homme dans sa position. Alexa décida de l'imiter, sans être sûre d'y réussir aussi bien.

— Eh bien, on peut dire que le monde est petit, déclara Sawyer. C'est ici que va prendre fin cette aventure.

Il regarda autour de lui.

— Une grotte ? Saviez-vous qu'il y avait une grotte sur les terres du grand-oncle Siméon ? Les gens ne cessaient de s'y perdre.

On eût dit qu'il trouvait l'idée plaisante ! Alexa frémit.

— Grand-oncle ? Vous voulez dire que nous sommes parents ?

Derek n'en revenait pas.

— Probablement. Mais l'or a plus de valeur que les liens du sang, répondit Sawyer en agitant son arme sous son nez. Ce vieux grigou ne m'a pas laissé un sou ! Il paraît que mon père avait été suffisamment généreux. Malheureusement, l'héritage n'a pas fait long feu. Et tout cet argent qui me passait sous le nez pour aller à des institutions charitables !

— Quel égoïsme, dit Derek sur le ton de la conversation.

— Ne le prenez pas de haut !

Il se redressa de toute sa taille, sans parvenir toutefois à l'épaule d'Alexandra. Maintenant qu'elle avait le temps de l'observer, elle ne le trouva pas si terrifiant. A part, peut-être, le gros pistolet.

— Toute ma vie, les gens m'ont regardé de haut. On ne méprise pas l'argent, heureusement. Dès que j'aurai mis la main dessus...

Il agita négligemment le pistolet.

— Ramassez la pelle et allons-y.

Ce fut Alexa qui dut s'engager la première dans la grotte. Sawyer les suivait, éclairant la voie de la torche. Ils arrivèrent bientôt devant un gouffre. La roche était comme fracturée et on n'apercevait pas le fond.

— Voyez ce que dit la carte, lui ordonna Sawyer.

— Je ne peux pas, il fait trop sombre.

Sawyer lui passa la torche en grommelant. Alexandra la lâcha exprès et elle tomba sur le sol. L'occasion qu'attendait Derek. Il le frappa de la pelle, la balançant comme un bûcheron attaque un tronc, l'atteignant à l'estomac et lui coupant le souffle, mais Sawyer n'en garda pas moins l'arme au poing. Un coup partit et Alexandra poussa un hurlement.

Les deux hommes s'empoignèrent, repoussant la torche du pied. Celle-ci roula jusqu'au bord du précipice et Alexa plongea pour la récupérer, affolée à l'idée de se retrouver dans le noir. Si elle avait songé un seul instant au danger que représentait ce plongeon, elle aurait laissé la lampe chuter, mais elle n'y pensa pas, se contentant d'agir.

Elle recula à quatre pattes, se rapprochant du lieu du combat. Derek et Sawyer luttaient toujours. Bien que Derek soit plus grand et plus lourd, Sawyer paraissait prendre le dessus. Il semblait dans un état second, comme possédé par le démon. Chacun des adversaires tentait de s'emparer du pistolet.

Alexa se redressa et chercha des yeux un objet qui lui permette de frapper Sawyer. La pelle ! Elle la ramassa et la leva au-dessus de la tête. Impossible d'atteindre sa cible, les deux hommes ne cessant de rouler sur le sol. Profitant cependant d'un instant d'accalmie, elle visa la tête et heurta l'épaule, ne faisant que le rendre plus furieux.

Les deux hommes roulèrent de nouveau, mais cette fois vers le vide. Un autre coup de feu. Alexa ferma les yeux et les quelques jours passés en compagnie de Derek, la seule période de son existence qui comptât pour elle, défilèrent d'un coup devant ses yeux. Son bonheur ne pouvait se terminer ainsi, au fond d'un précipice.

Elle se précipita, la pelle levée, prête à tout... juste à temps pour voir Sawyer avalé par l'abîme. Derek faillit l'y suivre et elle plongea, s'accrochant à sa jambe, tirant vers elle de toutes ses forces. Autour d'eux, des morceaux de rocs se détachèrent du plafond, mais Alexandra tint bon, ne pensant qu'à Derek. Elle ne pouvait le perdre !

Enfin, Derek se redressa d'un bond et la prit dans ses bras. Dès qu'elle comprit qu'ils étaient saufs, ses jambes refusèrent de la porter ; elle était au bord de l'évanouissement.

— Vous tournerez de l'œil une autre fois. Il faut sortir. Vite !

Elle se releva comme elle put, et Derek la poussa vers la sortie. Au moment où ils franchirent l'entrée de la grotte, il y eut un grondement, et toute la formation rocheuse s'éboula dans un bruit de tonnerre. Ils se retournèrent, stupéfaits. La grotte avait disparu !

Alexa s'effondra sur l'herbe, incapable de retrouver son souffle.

— Que s'est-il passé ? murmura-t-elle.

— Les coups de feu ont dû ébranler le plafond de la grotte, dit Derek en se laissant tomber près d'elle. Savez-vous que vous êtes très courageuse ?

Alexa le regarda et sourit. Il ressemblait à un ramoneur.

— Si vous n'aviez pas agi, poursuivit-il, Sawyer nous aurait certainement tués.

Il jeta un regard désolé en direction de la grotte.

— Nous avons été bien près de réussir, soupira-t-il.

Alexandra ferma les yeux. Elle avait mal au crâne.

— Oui, mais nous avons échoué.

— Quand je pense que Sawyer est enterré avec notre or !

Le cœur d'Alexandra se serra.

— Et s'il était encore vivant ?

— Avec ce qui lui est tombé sur la tête ? On ne survit pas à une telle chute.

— Il va falloir prévenir la police. Nous ne pouvons le laisser ici.

Elle se leva. La chemise de Derek était en loques.

— Est-ce qu'un des coups de feu...

— Je n'ai rien, répondit-il fièrement.

Elle secoua la tête.

— Et vous menez cette vie par plaisir ? Je n'arrive à y croire.

— Ce n'est pas toujours aussi mouvementé. Que diriez-vous de dîner avec un vrai pauvre ?

— Pourquoi pas ? Ce ne serait pas la première fois.

Derek lui prit la main et ils repartirent lentement vers la voiture. Voilà, c'était fini. Pas de trésor, plus d'aventure. L'excitation de la chasse évanouie, ils ressentaient maintenant la fatigue.

Derek démarra lentement et fit demi-tour. Bientôt New York. La fin d'un beau rêve.

Alexa resta un moment silencieuse, pensive.

— Il y a tout de même une chose que je n'arrive à comprendre, finit-elle par murmurer. Pourquoi

Stone n'a-t-il pas mentionné la grotte dans ses instructions ? Celles-ci étant codées, rien ne l'en empêchait. Un homme aussi méticuleux... Il n'y a que lorsqu'il s'est trompé pour une lettre dans le chiffrage que je... Derek, arrêtez-vous ! hurla-t-elle.

Il lui lança un coup d'œil stupéfait.

— Mais je ne roule pas, lui fit-il remarquer.

En effet, la voyant songeuse, il avait arrêté la voiture après avoir fait demi-tour, pensant qu'elle voulait voir une dernière fois le bouquet de saules.

Alexa se retourna et ramassa un des livres sur le plancher de la voiture. Elle se mit le feuilleter.

— Que cherchez-vous ?

— Stone a commis une erreur en inscrivant les lettres sous les numéros des pages. Il a écrit deux fois le e puis en a barré un. Je désire vérifier quelque chose. Ah, voilà !

Derek se pencha sur le livre. Le e était barré et remplacé par un o.

— Et s'il avait commis la même erreur en écrivant le message ? Et s'il avait confondu la page 100 avec la 27 ?

Derek la regarda sans comprendre, puis son visage s'éclaira.

— Nord-est, nord-ouest. NO, NE ! Qu'attendons-nous ?

Il sauta à terre.

— Tout n'est peut-être pas perdu !

Alexandra se précipita à sa suite. Il marchait si vite qu'elle dut courir à ses côtés.

Ils arrivèrent rapidement devant le gros rocher

qui marquait le milieu du bosquet. Là, Derek sembla réfléchir.

— Voyons... Cela va me revenir. C'était trente pas à... Non, cinquante...

Alexa agita la liasse de papiers sous son nez.

— Je pensais que vous les aviez perdus dans la grotte, s'étonna-t-il.

— Je les ai glissés dans mon soutien-gorge quand j'ai laissé tomber la torche.

Derek la prit aux épaules et l'embrassa sur les joues.

— Une femme courageuse et brillante, murmura-t-il.

Alexandra rosit de plaisir. Elle eut soudain l'impression d'être enfin acceptée dans le cercle très fermé et très masculin des chasseurs de trésors.

Chapitre 16

Ils creusèrent avec leurs mains. La terre était grasse et riche, un vrai sol de potager. Lorsqu'elle devint plus dure, ils utilisèrent la pioche, s'en servant pour casser les mottes avant de les émietter à la main.

La carte les avait amenés au pied d'un vieux saule qui pleurait silencieusement sur son secret depuis plus d'un siècle.

Alexandra sentait la terre s'accumuler sous ce qui restait de ses ongles.

— Mes mains ne seront plus jamais les mêmes, se lamenta-t-elle en repoussant une mèche qui pendait sur son visage.

Elle ne fit que se barbouiller un peu plus la face.

— Cela n'a pas d'importance. Je les aimerai toujours.

— Et si nous ne trouvons rien ?

Elle commençait de nouveau à douter.

— L'or est là ! Je le sens. Pourquoi aurait-il tellement insisté à propos des saules ?

— Je n'en sais rien. L'homme était pourchassé.

Ses associés étaient morts. Il devait savoir qu'il n'avait plus longtemps à vivre lui-même.

Ses yeux s'agrandirent.

— Derek. Je sens quelque chose !

Il se mit à creuser furieusement. Encore quelques minutes et ils aperçurent le couvercle d'un coffre en acier.

— Il a l'air bien petit pour une pareille somme.

Elle n'arrivait encore à y croire. C'était aussi simple que cela de découvrir un trésor ?

— Il est peut-être très profond, répondit Derek en le dégageant sur les côtés. Sur l'un d'eux, il sentit une poignée. Derek tira le coffre à lui. Pas de cadenas. La boîte n'était pas verrouillée.

Alexandra et Derek se regardèrent sans oser parler. Quelqu'un les avait-il précédés, remettant ensuite le coffre en place pour se moquer de ceux qui viendraient par la suite ? Pourtant l'herbe qui poussait là où ils avaient creusé était bien haute.

Derek souleva lentement le couvercle. Alexa retint son souffle. Dans le coffre, un papier plié en quatre sur un sac. Alexandra ouvrit la bourse de cuir. Elle était pleine de pièces d'or.

— Où est le reste ? murmura-t-elle en faisant glisser les pièces sur sa jupe.

— D'après cette lettre, il semblerait que la femme de notre héros soit revenue sur les lieux de son crime avec ses fils pour récupérer l'or. Malheureusement, effrayée à l'idée de traverser les lignes nordistes, elle fut obligée de le cacher de nouveau. Elle laissa toutefois un échantillon du trésor et cette missive dans le coffre pour que l'on sache qu'elle ne s'en était pas emparé pour son usage personnel. Quelle noblesse ! Il n'y a que dans le sud qu'on trouve encore des gens si désintéressés.

— Mais où se trouve l'autre cachette ?

— Tout est indiqué dans ce document.

Alexa lui prit le papier des mains.

— Une autre carte ?

— Oui, mais celle-ci n'est pas codée.

Il passa les mains parmi les pièces d'or, les laissant retomber en pluie.

— Il y en a bien assez pour payer nos dettes et nous lancer dans de nouvelles aventures.

— Nous ?

— Evidemment. Ne sommes-nous pas associés ?

— Oui, mais...

Il l'attira à lui.

— Ne me dites pas que vous pensez retourner dans cette bibliothèque poussiéreuse ?

Alexa lui sourit.

— Tout dépendra de ce que vous me proposerez. J'ai besoin de certitudes, Derek, besoin de savoir où je vais. Savez-vous que je lis toujours la dernière page d'un roman avant de le commencer ?

— Et où désirez-vous que nous allions, ensemble ? demanda-t-il en prenant son visage entre ses mains.

— C'est à vous de me le dire.

— Et si je commençais par « je vous aime » ?

— Ce serait un bon début. Ensuite ?

— Alexa ! Seriez-vous intéressée ?

— Non. Seulement vieux jeu.

— Si je continuais par ceci...

Il la prit dans ses bras et l'embrassa à lui couper le

souffle. Alexa en laissa tomber l'or dans l'herbe. Mais quand il la lâcha, satisfait, elle reprit ses distances.

— Ce n'est toujours pas assez. J'ai peur que mon prix ne soit un peu trop élevé pour vous.

— Mais vous êtes insatiable ! Enfin, j'ai toujours relevé les défis. Si vous pensez que je vais flancher... Que diriez-vous d'une association permanente ?

— Dans le genre Montaigne et Taylor S.A. ?

— Non, cela sonne mal. Montaigne et Montaigne a plus d'allure.

— Seriez-vous en train de me demander en mariage ? s'enquit-elle d'un air faussement innocent.

— Je n'en suis pas certain. Je n'ai encore jamais fait ce genre de démarche. Il semblerait pourtant que ce soit bien ce que je suis en train de faire.

— Mon Dieu, quel romantisme ! Il vous faudra prendre des leçons.

— Ce ne sont pas les leçons de romantisme qui m'attirent le plus, pour l'instant.

Il la coucha dans l'herbe. Ils avaient complètement oublié les pièces d'or qui gisaient, éparpillées, autour d'eux.

— Derek, désirez-vous vraiment m'épouser ?

Derek embrassa doucement ses paupières.

— Plus même que de trouver le trésor. D'une certaine façon, je crois que j'ai trouvé en vous le trésor que je poursuivais en vain depuis des années.

Alexa ferma les yeux en souriant d'aise. Elle était si bien, si...

Elle se redressa brusquement.

— Derek ! Et si les descendants de Mme Pinkerton arrivaient soudain pour réclamer l'or ?

Il éclata de rire.

— Pessimiste ! Je ne leur conseille pas de venir nous déranger maintenant. Ces vieux saules n'ont rien eu à se mettre sous la dent depuis la capture de notre sudiste. Je pense qu'il est temps de leur offrir un petit spectacle dont ils se souviendront longtemps.

— Présomptueux !

— Moi ? Mais je suis bien en dessous de la vérité !

— Prouvez-le.

C'est ce qu'il s'empressa de faire…

Des histoires d'amour écrites pour la femme d'aujourd'hui

C'est une magie toute spéciale qui se dégage de chaque roman Harlequin. Ecrites par des femmes d'aujourd'hui pour les femmes d'aujourd'hui, ces aventures passionnées et passionnantes vous transporteront dans des pays proches ou lointains, vous feront rencontrer des gens qui osent dire "oui" à l'amour.

Que vous lisiez pour vous détendre ou par esprit d'aventure, vous serez chaque fois témoin et complice d'hommes et de femmes qui vivent pleinement leur destin.

Une offre irrésistible!

Recevez, *sans aucune obligation de votre part,* quatre romans Harlequin tout à fait *gratuits!*
Et nous vous enverrons, chaque mois suivant, six nouveaux romans d'amour, au bas prix de $1.75 chacun (soit $10.50 par mois) sans frais de port ou de manutention.
Mais vous ne vous engagez à rien: vous pouvez annuler votre abonnement à tout moment, quel que soit le nombre de volumes que vous aurez achetés. Et, même si vous n'en achetez pas un seul, vous pourrez conserver vos 4 livres gratuits!

Envoyez à: **COLLECTION HARLEQUIN**
P.O. Box 2800, Postal Station A
5170 Yonge St., Willowdale, Ont. M2N 6J3

OUI, veuillez m'envoyer *gratuitement* mes quatre romans de la COLLECTION HARLEQUIN. Veuillez aussi prendre note de mon abonnement aux 6 nouveaux romans de la COLLECTION HARLEQUIN que vous publierez chaque mois. Je recevrai tous les mois 6 nouveaux romans d'amour, au bas prix de $1.75 chacun (soit $10.50 par mois), sans frais de port ou de manutention.
Je pourrai annuler mon abonnement à tout moment, quel que soit le nombre de livres que j'aurai achetés. Quoi qu'il arrive, je pourrai garder mes 4 premiers romans de la COLLECTION HARLEQUIN tout à fait GRATUITEMENT, sans aucune obligation.
Cette offre n'est pas valable pour les personnes déjà abonnées.

Nos prix peuvent être modifiés sans préavis 366-BPF-BPGE

Nom (en MAJUSCULES, s.v.p.)

Adresse App.

Ville Prov. Code postal

COLL-SUB-2WR

Achevé d'imprimer en novembre 1985
sur les presses de l'Imprimerie Bussière
à Saint-Amand-Montrond (Cher)

— N° d'imprimeur : 2459. —
— N° d'éditeur : 883. —
Dépôt légal : décembre 1985

Imprimé en France